#시험대비
#핵심정복

7일 끝
중간고사
기말고사

Chunjae
Makes
Chunjae

▼

[7일 끝] 중학 과학 3-2

개발총괄 김은숙
편집개발 이강순, 김설희, 이영웅
제작 황성진, 조규영

발행일 2021년 7월 15일 초판 2021년 7월 15일 1쇄
발행인 (주)천재교육
주소 서울시 금천구 가산로9길 54
신고번호 제2001-000018호
고객센터 1577-0902
교재 내용문의 (02)3282-8718

※ 정답 분실 시에는 천재교육 홈페이지에서 내려받으세요.

7일 끝으로 끝내자!

중학 과학 3-2

BOOK 1
중 간 고 사 대 비

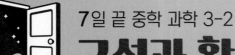

구성과 활용

시험 공부 시작

생각 열기

공부할 내용을 그림과 퀴즈로 쉽게 살펴보며 학습을 준비해 보세요.

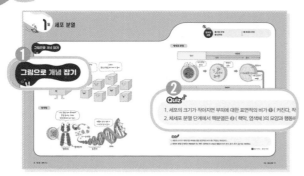

❶ 그림으로 개념 잡기 학습할 개념을 그림과 만화로 재미있게 알아보세요.

❷ Quiz 공부할 내용을 그림과 관련된 퀴즈 문제로 확인해 보세요.

본격 공부 중

교과서 핵심 정리 + 기초 확인 문제

꼭 알아야 할 교과서 핵심 개념을 익히고 기초 확인 문제를 풀며 제대로 이해했는지 확인해 보세요.

❶ 교과서 핵심 정리 빈칸을 채워 보며 교과서 핵심 개념을 다시 한번 체크해 보세요.

❷ 기초 확인 문제 교과서 핵심 정리와 관련된 문제를 풀며 공부한 내용을 확인해 보세요.

내신 기출 베스트

다양한 유형의 문제를 풀어 보며 공부한 내용을 점검해 보세요.

❶ 대표 예제 시험에 자주 나오는 빈출 유형 필수 문제를 풀어 보세요.

❷ 개념 가이드 대표 예제와 관련된 핵심 개념을 익혀 보세요.

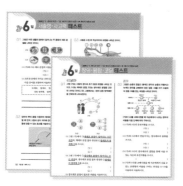

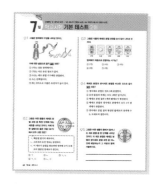

누구나 100점 테스트

5일 동안 공부한 내용을 바탕으로 기초 이해력을 점검해 보세요.

서술형·사고력 테스트
창의·융합·코딩 테스트

서술형·사고력 문제와 창의·융합·코딩 문제를 풀어 보면서 창의력과 문제 해결력을 길러 보세요.

학교시험 기본 테스트

중간·기말고사 예상 문제를 최종으로 풀며 실전에 대비해 보세요.

틈틈이·짬짬이 공부하기

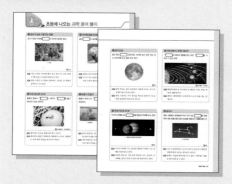

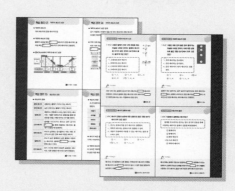

초등학교에서 배운 과학 용어로 선수 학습을 확인할 수 있어요.

시험 직전이나 틈틈이 암기 카드를 휴대하여 활용해 보세요.

> 학교 시험 범위와 내 교과서의 출판사명을 확인하고 7일 끝 교재 범위를 체크해 공부해요.
>
> 예를 들어, 〈천재교과서〉의 과학 교과서를 사용하는 내 학교의 2학기 중간고사 범위가 'V. 생식과 유전'(181~221쪽)이라고 하면,
> 7일 끝 BOOK1 8~39쪽 을 학습하면 돼요!

천재교과서(쪽)	비상교육(쪽)	미래엔(쪽)	동아출판(쪽)
181~195	162~169	174~186	169~181
196~199	170~171	188~189	182~186
203~212	176~181	190~197	189~195
213~221	182~189	198~203	196~203
231~236	198~203	214~219, 232~235	215~221
239~245	208~217	220~230	225~237
255~258	226~229	246~249	249~251
259~263	230~233	250~255	252~257
264~277	238~257	256~271	261~272
284~297	266~275	282~295	282~295

1일 세포 분열

세포가 분열하는 까닭

염색체

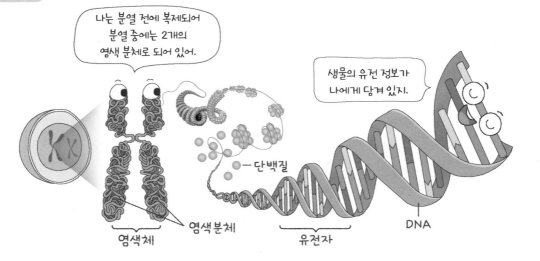

체세포 분열

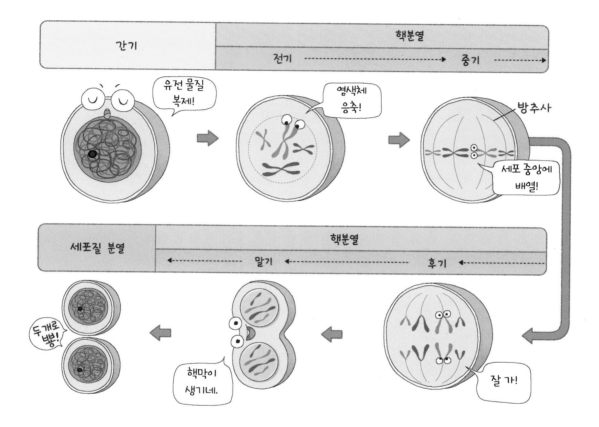

Quiz

1. 세포의 크기가 작아지면 부피에 대한 표면적의 비가 ❶ (커진다, 작아진다).

2. 체세포 분열 단계에서 핵분열은 ❷ (핵막, 염색체)의 모양과 행동에 따라 전기, 중기, 후기, 말기로 구분된다.

답 ❶ 커진다 ❷ 염색체

교과서 **핵심 정리** ①

개념 **1** 세포 분열

1. 세포 분열 하나의 세포가 둘로 나누어지는 과정

2. 세포 분열이 필요한 까닭 세포가 커지면 부피에 대한 표면적이 상대적으로 **❶**[   ]져 표면적을 통한 **❷**[   ]능력이 떨어지므로 세포 분열을 통해 표면적을 넓혀 물질 교환이 효율적으로 일어나도록 한다. → 부피에 대한 표면적의 비가 커야 물질 교환에 유리하다.

❶ 작아

❷ 물질 교환

[세포의 부피와 표면적의 관계]

1 cm   2 cm   3 cm

한 변의 길이(cm)	1	2	3
표면적(cm²)	6	24	54
부피(cm³)	1	8	**❸**[ ]
표면적/부피	6	3	2

❸ 27

└ 세포가 커질수록 표면적보다 부피가 더 커진다.

3. 세포 분열의 의의
① 생장: 세포의 **❹**[   ]를 늘려 개체가 생장한다.
② 재생: 늙거나 손상된 세포가 젊은 세포로 교체되어 건강을 유지한다.
③ 번식: 단세포 생물은 분열에 의해 만들어진 2개의 세포가 각각 하나의 개체가 된다.

❹ 수

개념 **2** 염색체

1. 염색체 세포 분열 시 나타나는 막대 모양의 구조물로, 유전 정보를 담아 전달한다. 염색체는 유전 물질인 **❺**[   ]와 단백질로 구성된다.

❺ DNA

DNA	유전 정보를 저장하고 있는 물질
유전자	DNA에서 유전 정보를 저장하고 있는 특정 부위
염색 분체	하나의 염색체를 구성하는 각각의 가닥으로 두 가닥의 유전 정보가 서로 **❻**[ ].

염색체 / 유전자 B / DNA / 분열 중인 세포 / 염색 분체 / 단백질 / 유전자 A

❻ 같다

2. 사람의 염색체 사람의 체세포에는 46개(23쌍의 상동 염색체)의 염색체가 있다.

상동 염색체	체세포에 있는 모양과 크기가 같은 1쌍의 염색체
상염색체	남녀 공통으로 가지는 염색체 → 1~22번의 **❼**[ ]쌍
성염색체	성을 결정하는 염색체 · 남자: **❽**[ ] · 여자: XX

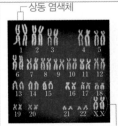

상동 염색체

여자의 염색체 구성 성염색체 (44+XX)   남자의 염색체 구성 성염색체 (44+XY)

❼ 22

❽ XY

01 그림은 한 변의 길이가 각각 1 cm, 2 cm, 3 cm인 정육면체의 우무 조각을 식용 색소가 든 용액에 같은 시간 동안 담갔다가 꺼낸 후 우무 조각의 가운데를 자른 것이다. (단, 식용 색소가 우무 조각 속으로 퍼지는 속도는 같다.)

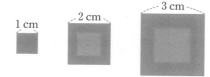

우무 조각을 세포라고 가정할 때 이에 대한 설명으로 옳은 것을 〈보기〉에서 모두 고르시오.

┌ 보기 ┐
ㄱ. 세포의 크기가 커질수록 부피에 대한 표면적의 비가 커진다.
ㄴ. 세포가 클수록 필요한 물질이 세포의 중심까지 이동하기 어렵다.
ㄷ. 세포의 부피에 대한 표면적의 비가 클수록 물질 교환이 효율적으로 일어난다.

(   )

02 다음 설명에 해당하는 세포 분열의 의의를 〈보기〉에서 골라 기호를 쓰시오.

┌ 보기 ┐
ㄱ. 번식   ㄴ. 생장   ㄷ. 재생

(1) 세포의 수를 늘려 개체가 커진다. (   )
(2) 늙거나 손상된 세포가 젊은 세포로 교체되어 건강을 유지한다. (   )

03 그림은 염색체의 구조를 나타낸 것이다. 이에 대한 설명으로 옳지 않은 것은?

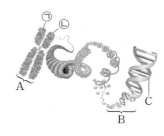

① A는 DNA와 단백질로 구성된다.
② B는 유전 정보를 저장하고 있는 특정 부위이다.
③ C는 DNA이다.
④ ㉠과 ㉡은 상동 염색체이다.
⑤ ㉠과 ㉡의 유전자 구성은 같다.

04 그림은 남녀의 염색체 구성을 순서 없이 나타낸 것이다.

(가)   (나)

(1) 1~22번 염색체에 대한 설명으로 옳은 것을 〈보기〉에서 모두 고르시오.

┌ 보기 ┐
ㄱ. 성을 결정한다.
ㄴ. 남자와 여자 공통으로 가지고 있다.
ㄷ. 같은 번호의 두 염색체는 상동 염색체이다.

(   )

(2) (가)와 (나)의 성염색체 구성과 성별을 쓰시오.
(가): (   )
(나): (   )

개념 3 　체세포 분열

1. 체세포 분열 　체세포 1개가 2개로 나누어지는 과정 – 체세포 분열로 생성된 딸세포는 모세포와 유전 정보가 같다.

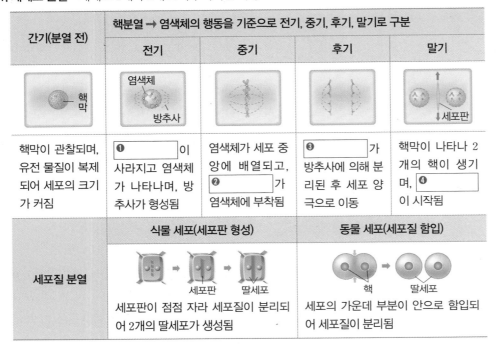

간기(분열 전)	핵분열 → 염색체의 행동을 기준으로 전기, 중기, 후기, 말기로 구분			
	전기	중기	후기	말기
핵막이 관찰되며, 유전 물질이 복제되어 세포의 크기가 커짐	**❶** 이 사라지고 염색체가 나타나며, 방추사가 형성됨	염색체가 세포 중앙에 배열되고, **❷** 가 염색체에 부착됨	**❸** 가 방추사에 의해 분리된 후 세포 양극으로 이동	핵막이 나타나 2개의 핵이 생기며, **❹** 이 시작됨

	식물 세포(세포판 형성)	동물 세포(세포질 함입)
세포질 분열	세포판이 점점 자라 세포질이 분리되어 2개의 딸세포가 생성됨	세포의 가운데 부분이 안으로 함입되어 세포질이 분리됨

2. 체세포 분열 관찰

재료: 양파의 뿌리 끝 – **❺** 이 있어 체세포 분열이 활발하게 일어난다.

❶ 고정	양파의 뿌리 끝을 **❻** 과 아세트산을 3:1로 섞은 용액에 하루 정도 담가 둔다. → 세포 분열을 멈추고 살아 있을 때의 모습을 유지하도록 한다.
❷ 해리	뿌리 조각을 10 % **❼** 에 넣어 물중탕한 다음 증류수로 씻는다. → 뿌리를 연하게 한다.
❸ 염색	아세트올세인 용액을 떨어뜨린다. → **❽** 과 염색체를 붉게 염색한다.
❹ 분리	뿌리 끝을 해부침으로 잘게 찢고, 덮개 유리를 덮어 연필에 달린 고무로 가볍게 두드린다. → 세포들을 떼어 낸다.
❺ 압착	현미경 표본을 거름종이로 덮고 손가락으로 지그시 누른 후 현미경으로 관찰한다. → 세포들을 한 층으로 얇게 편 후 납작하게 한다.

❶ 핵막
❷ 방추사
❸ 염색 분체
❹ 세포질 분열

❺ 생장점

❻ 에탄올

❼ 묽은 염산

❽ 핵

05 그림은 체세포 분열 과정 중 일부를 순서 없이 나타낸 것이다. 각 그림에 해당하는 분열 시기를 쓰시오.

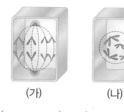

(가)   (나)   (다)

(   ) (   ) (   )

06 체세포 분열의 전기에 대한 설명으로 옳은 것은 ○, 옳지 <u>않은</u> 것은 × 표를 하시오.

(1) 핵막이 사라진다.   (   )

(2) 방추사가 나타난다.   (   )

(3) 염색체가 실처럼 풀어진다.   (   )

(4) 염색 분체가 분리되어 세포 양극으로 이동한다.

                                   (   )

07 염색체 수가 4개인 세포가 그림과 같이 체세포 분열을 하여 2개의 딸세포를 생성하였다. 생성된 각각의 딸세포에 들어 있는 염색체 수를 쓰시오.

(   )

08 그림은 동물 세포와 식물 세포에서 세포질 분열이 일어나는 모습을 순서 없이 나타낸 것이다. (가)와 (나)는 각각 어떤 세포에 해당하는지 쓰시오.

딸세포

세포판   딸세포

(가)   (나)

(   ) (   )

09 다음은 양파의 뿌리 끝을 이용하여 체세포 분열을 관찰하는 실험 과정에 대한 설명이다. 각 과정에 해당하는 용어를 〈보기〉에서 찾아 그 기호를 쓰시오.

┌─ 보기 ─────────────────────┐
ㄱ. 해리   ㄴ. 염색   ㄷ. 고정
└────────────────────────────┘

(1) 아세트올세인 용액을 떨어뜨린다.   (   )

(2) 묽은 염산에 넣고 50~60 ℃ 정도로 물중탕한다.

                                   (   )

(3) 에탄올과 아세트산을 3 : 1로 섞은 용액에 하루 정도 담가둔다.   (   )

10 체세포 분열을 관찰할 때 양파의 뿌리 끝을 재료로 사용하는 것은 뿌리 끝에 있는 어떤 조직 때문인지 쓰시오.

(   )

대표 예제 1 세포 분열이 필요한 까닭

세포 분열이 필요한 까닭에 대한 설명으로 옳은 것을 〈보기〉에서 모두 고르시오.

┌ 보기 ┐
ㄱ. 세포가 커지면 염색체 수가 늘어나기 때문이다.
ㄴ. 세포가 커지면 물질 교환이 상대적으로 불리해지기 때문이다.
ㄷ. 세포가 커지면 부피가 커지는 비율보다 표면적이 커지는 비율이 더 크기 때문이다.

(　　　　　)

🧭 개념 가이드

세포의 크기가 커질수록 부피에 대한 표면적의 비율이 [　　] 지기 때문에 물질 교환에 [　　] 해진다.

답 작아, 불리

대표 예제 2 염색체

염색체에 대한 설명으로 옳지 않은 것은?

① 유전 정보가 들어 있다.
② 항상 짧은 끈이나 막대 모양으로 관찰된다.
③ 생물의 종류에 따라 고유한 모양과 수를 갖는다.
④ 같은 종의 생물은 같은 수의 염색체를 가지고 있다.
⑤ 체세포 안에 쌍으로 들어 있는 염색체는 부모 양쪽으로부터 1개씩 받은 것이다.

🧭 개념 가이드

염색체는 세포가 분열하지 않을 때는 [　　] 속에 풀어져 있다가 [　　] 시 응축하여 막대 모양으로 나타난다.

답 핵, 세포 분열

대표 예제 3 사람의 염색체

그림은 사람의 염색체를 나타낸 것이다.

이 사람의 상염색체 수와 성별을 옳게 나타낸 것은?

① 22, 남자　　② 22, 여자
③ 44, 남자　　④ 44, 여자
⑤ 46, 남자

🧭 개념 가이드

남자의 성염색체 구성은 [　　] 이고, 여자의 성염색체 구성은 [　　] 이다.

답 XY, XX

대표 예제 4 염색 분체와 상동 염색체

그림은 어떤 생물의 체세포에서 쌍을 이루고 있는 크기와 모양이 같은 2개의 염색체를 나타낸 것이다. 괄호 안에 알맞은 말을 고르시오.

(1) A와 B는 (염색 분체, 상동 염색체)로, 유전 정보가 서로 (같다. 다르다.)
(2) (가)와 (나)는 (염색 분체, 상동 염색체)로, 유전 정보가 서로 (같다. 다르다.)

🧭 개념 가이드

상동 염색체는 부모에게서 각각 하나씩 받은 것으로 유전 정보가 서로 [　　].

답 다르다

대표 예제 **5** 체세포 분열

그림은 체세포 분열이 일어나는 과정을 순서 없이 나타낸 것이다.

(가)　　(나)　　(다)　　(라)　　(마)

분열 과정을 간기부터 순서대로 나열하시오.

(　　　　　　　　　　)

개념 가이드

세포 분열 시 염색체가 응축(□□□)되어 세포 중앙에 배열(중기)하고, 염색 분체가 갈라져 양극으로 이동한 후(□□□) 2개의 딸핵이 생성된다(말기). **답** 전기, 후기

대표 예제 **6** 세포질 분열

그림 (가)와 (나)는 각각 식물 세포와 동물 세포의 세포질 분열 과정을 순서 없이 나타낸 것이다.

(가)　　(나)

(1) 동물 세포의 세포질 분열의 기호를 쓰시오.

(　　　　　　　　　　)

(2) A의 이름을 쓰시오.

(　　　　　　　　　　)

개념 가이드

세포질 분열 시 □□ 세포는 안쪽에서 바깥쪽으로 세포판이 형성되고, □□ 세포는 원형질이 바깥쪽에서 안쪽으로 함입되어 둘로 나누어진다. **답** 식물, 동물

대표 예제 **7** 체세포 분열 관찰

그림은 체세포 분열을 관찰하기 위한 실험 과정 중 한 단계를 나타낸 것이다. 이 과정을 실시하는 까닭으로 옳은 것은?

묽은 염산
거즈로 싼 뿌리 끝

① 세포막을 녹이기 위해서
② 조직을 연하게 하기 위해서
③ 세포와 핵을 염색하기 위해서
④ 세포의 수명을 늘려주기 위해서
⑤ 세포를 살아 있는 상태로 고정시키기 위해서

개념 가이드

세포를 □□□□에 넣어 온도를 높여주면 조직이 연하게 되어, □□□으로 세포를 분리할 때 세포들이 잘 분리된다. **답** 묽은 염산, 해부침

대표 예제 **8** 체세포 분열 관찰

그림은 양파의 체세포 분열을 관찰하기 위한 실험 과정의 일부를 순서 없이 나타낸 것이다.

아세트산 카민 용액 / 60 ℃의 묽은 염산 / 뿌리 끝 / 에탄올과 아세트산 혼합액
(가)　　　　(나)　　　　(다)

실험 과정을 순서대로 옳게 나열하시오.

(　　　　　　　　　　)

개념 가이드

세포 분열의 관찰 순서는 □□ → 해리 → □□ → 분리 → 압착 → 관찰 순이다. **답** 고정, 염색

2일 생식세포 분열/사람의 발생

생식세포 분열

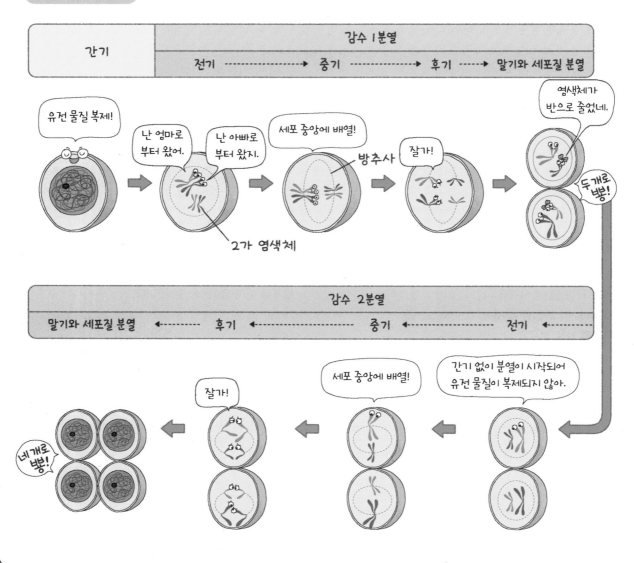

사람의 생식 기관

정소

정자

수란관

난소

자궁

난자

발생

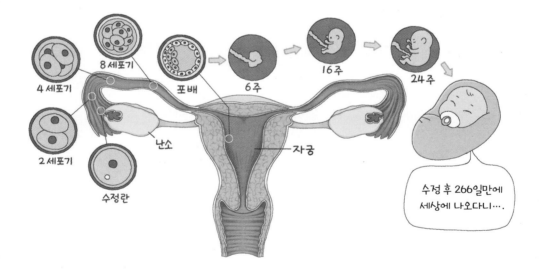

8세포기

4세포기

2세포기

수정란

포배

6주

16주

24주

난소

자궁

수정 후 266일만에
세상에 나오다니….

Quiz

1. 생식세포 분열 결과 생긴 딸세포의 염색체 수는 모세포의 ❶ (절반, 2배)이다.

2. 난소에서 난자가 수란관으로 배출되는 현상을 ❷ (난할, 배란)이라고 한다.

답 ❶ 절반 ❷ 배란

2일 교과서 핵심 정리 ①

감수 1분열 전 간기에 DNA가 복제되며, 감수 2분열 전에는
간기가 없어 DNA가 복제되지 않는다.

개념 1 생식세포 분열(감수 분열)

1. 생식세포 분열 염색체 수가 체세포의 절반인 ❶ [   ]를 만들 때 일어나는 세포 분열로,
2회 연속 분열하여 염색체 수가 모세포의 절반인 ❷ [   ]개의 딸세포가 형성된다.

감수 1분열 → 상동 염색체가 분리되므로 염색체 수가 절반으로 줄어든다.

전기	중기	후기	말기 및 세포질 분열
2가 염색체	방추사	상동 염색체	
핵막이 사라지고, 방추사와 상동 염색체가 접합한 ❸ [ ]가 나타난다. 상동 염색체가 결합한 것으로 생식세포 분열에서만 나타난다.	2가 염색체가 세포 중앙에 배열되고, 방추사가 염색체에 부착된다.	❹ [ ]가 방추사에 의해 분리되면서 세포 양쪽 끝으로 이동한다.	핵막이 나타나면서 세포질이 나누어져 2개의 딸세포가 형성된다.

감수 2분열 → 염색 분체가 분리되므로 염색체 수는 변하지 않는다.

전기	중기	후기	말기 및 세포질 분열
		염색 분체	
간기 없이 감수 2분열 전기가 시작되어 핵막이 사라지고 방추사가 나타난다.	염색체가 세포 중앙에 배열되고, 방추사가 염색체에 부착된다.	❺ [ ]가 방추사에 의해 분리되면서 세포 양쪽 끝으로 이동한다.	핵막이 나타나고, 세포질이 나누어져 4개의 딸세포가 형성된다. 상동 염색체 중 하나만 있고, 염색체 수가 체세포의 절반이다.

2. 생식세포 분열의 의의 세대를 거듭해도 자손의 염색체 수가 일정하게 유지된다.

개념 2 체세포 분열과 생식세포 분열의 비교

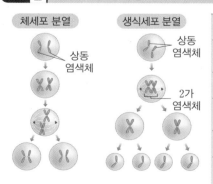

구분	체세포 분열	생식세포 분열
분열 장소	온몸	❻ [ ]
분열 횟수	1회	연속 2회
딸세포 수	❼ [ ]개	4개
염색체 수	변화 없다.	절반으로 줄어듦
분열 결과	생장, 재생	❽ [ ] 형성

오른쪽 정답:
❶ 생식세포
❷ 4
❸ 2가 염색체
❹ 상동 염색체
❺ 염색 분체
❻ 생식 기관
❼ 2
❽ 생식세포

기초 확인 문제

정답과 해설 **5쪽**

01 그림은 생식세포 분열 과정을 순서 없이 나타낸 것이다.

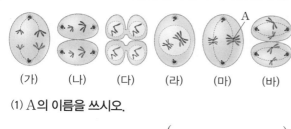

(가)   (나)   (다)   (라)   (마)   (바)

(1) A의 이름을 쓰시오.

(   )

(2) (가)~(바)를 순서대로 옳게 나열한 것은?

① (나) → (가) → (다) → (라) → (마) → (바)
② (나) → (마) → (라) → (가) → (바) → (다)
③ (다) → (나) → (가) → (바) → (마) → (라)
④ (라) → (마) → (가) → (나) → (바) → (다)
⑤ (라) → (마) → (나) → (가) → (다) → (바)

02 그림은 생식세포 분열 과정을 나타낸 것이다.

상동 염색체

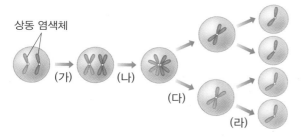

(가)   (나)   (다)   (라)

다음 각 설명에 해당하는 시기를 찾아 기호를 쓰시오.

(1) DNA가 복제된다.   (   )
(2) 2가 염색체가 나타난다.   (   )
(3) 상동 염색체가 분리된다.   (   )
(4) 염색체 수가 반으로 줄어든다.   (   )
(5) 염색 분체가 분리된다.   (   )

03 염색체 수가 8개인 동물의 체세포와 난자, 정자에 들어 있는 염색체 수를 옳게 나타낸 것은?

	체세포	난자	정자
①	8개	8개	8개
②	8개	4개	8개
③	8개	4개	4개
④	4개	4개	4개
⑤	4개	8개	8개

04 표는 염색체 수가 4개인 어떤 생물에서 체세포 분열과 생식세포 분열을 비교하여 나타낸 것이다. 빈칸에 알맞은 말을 쓰시오.

구분	체세포 분열	생식세포 분열
분열 횟수	㉠( )회	연속 2회
딸세포의 염색체 수	4개	㉡( )개
딸세포 수	㉢( )개	㉣( )개
분열 결과	생장, 재생	㉤( ) 생성

05 그림은 어떤 동물에서 체세포 분열 중인 세포와 생식세포 분열 중인 세포를 순서 없이 나타낸 것이다. 각 세포 분열의 종류와 시기를 쓰시오.

(1)   (2)

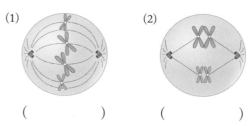

(   )   (   )

2일 교과서 핵심 정리 ②

개념 3 정자와 난자

1. 정자와 난자 남자의 생식세포는 **❶**〔　　　〕이고, 여자의 생식세포는 **❷**〔　　　〕이다. 정자는 정소에서, 난자는 난소에서 만들어지며, 각각 염색체 수는 **❸**〔　　　〕개이다.

핵: 유전 물질이 들어 있다. ┐ 머리

꼬리: 정자를 움직일 수 있도록 한다.

└ 정자는 운동성이 있고, 난자는 운동성이 없다.

꼬리

정자

핵: 유전 물질이 들어 있다.

세포질: 많은 영양분이 저장되어 있다. → 정자보다 난자의 크기가 훨씬 크다.

난자

개념 4 사람의 발생

1. 수정 **❹**〔　　　〕와 난자가 수란관에서 만나 결합하는 과정 → 정자와 난자의 염색체 수는 체세포의 절반이므로, 수정란은 체세포와 염색체 수가 같다.

2. 발생 수정란이 세포 분열을 하면서 여러 과정을 거쳐 **❺**〔　　　〕가 되기까지의 과정

난할	수정란의 발생 초기에 일어나는 세포 분열 → 체세포 분열이지만 딸세포가 커지는 시기가 거의 없이 빠르게 분열을 반복하므로 분열을 거듭할수록 세포 수는 늘어나지만 세포 하나의 크기는 점점 **❻**〔　　　〕진다.
착상	수정이 이루어진 뒤 5~7일 후 수정란이 자궁 안쪽 벽에 파묻히는 현상 → 이때부터 **❼**〔　　　〕이 되었다고 한다.

배란에서 착상까지의 과정 ─ 배란 → 수정 → 난할 → 착상(임신)

- 배란: 난소에서 수란관으로 난자가 배출된다.
- 수정: 수란관 앞부분에서 난자와 정자가 만나 수정이 이루어진다.
- 난할: 수정란이 **❽**〔　　　〕을 거듭하여 세포 수를 늘리면서 자궁으로 이동한다.
- 착상: 수정란이 포배가 되어 두껍게 발달된 자궁 내막에 파묻힌다.

정자의 핵　난할　착상

수정　　　　태반 형성

난자의 핵　태아의 발생

배란　난소　출산

난자　자궁

3. 태아의 발생과 출산 ┌ 수정 8주 후 사람의 모습을 갖추기 시작한 상태를 태아라 한다.

(1) 태반 형성: 착상 이후 태아와 모체를 연결하는 태반이 만들어지고, 이를 통해 태아와 모체 사이에서 **❾**〔　　　〕이 일어난다. → 태아는 모체로부터 **❿**〔　　　〕와 영양소를 전달받고, 태아의 몸에서 생긴 **⓫**〔　　　〕와 노폐물은 모체로 전달된다.

(2) 태아의 발생과 출산: 수정 후 8주 이내에 대부분의 기관이 형성되며, 수정된 지 약 266일 후 출산 과정을 거쳐 모체 밖으로 나온다.

❶ 정자
❷ 난자
❸ 23개

❹ 정자

❺ 개체

❻ 작아

❼ 임신

❽ 난할

❾ 물질 교환
❿ 산소
⓫ 이산화 탄소

기초 확인 문제

06 그림 (가)는 정자, (나)는 난자의 구조를 나타낸 것이다.

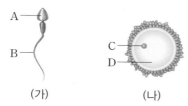

(가)   (나)

(1) A~D의 이름을 쓰시오.

(   )

(2) (가)와 (나)에 대한 설명으로 옳은 것을 〈보기〉에서 모두 고르시오.

> ┌ 보기 ┐
> ㄱ. A에는 유전 물질이 들어 있다.
> ㄴ. (가)는 (나)보다 염색체 수가 많다.
> ㄷ. (나)는 많은 양분을 저장하고 있어 보통 세포보다 크기가 훨씬 크다.

(   )

07 그림은 여자의 생식 기관을 나타낸 것이다.

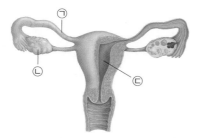

다음 현상이 일어나는 구조의 기호와 이름을 쓰시오.

(1) 정자와 난자의 수정이 이루어진다.

(   )

(2) 난자가 생성된다.   (   )

(3) 수정란이 착상한다.   (   )

08 난할에 대한 설명으로 옳지 <u>않은</u> 것은?

① 분열 속도가 빠르다.

② 수정란의 초기 세포 분열로 체세포 분열에 해당한다.

③ 난할이 진행될수록 딸세포의 크기는 점점 작아진다.

④ 난할이 진행되어도 세포 1개당 염색체 수는 변하지 않는다.

⑤ 난할로 생성된 딸세포는 일정한 크기로 커진 후에야 다시 난할이 일어난다.

09 그림은 배란에서 착상까지의 과정을 나타낸 것이다.

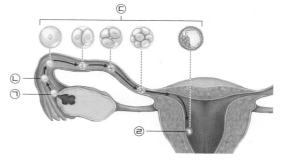

착상을 나타낸 것의 기호를 쓰시오.

(   )

10 다음에서 설명하는 현상은 무엇인지 쓰시오.

> • 수정 후 약 266일 후에 일어난다.
> • 자궁의 수축 운동으로 태아가 몸 밖으로 나오는 현상이다.

(   )

대표 예제 1 생식세포 분열

그림은 어떤 세포의 분열 과정을 나타낸 것이다.

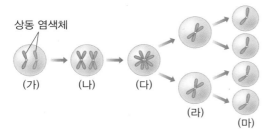

상동 염색체

(가) → (나) → (다) → (라) → (마)

(나)~(마) 중 염색체 수가 (가)와 다른 것의 기호를 모두 쓰시오.

(   )

개념 가이드

감수 1분열에서는 [   ]가 분리되지만, 감수 2분열에서는 [   ]가 분리된다.   답 상동 염색체, 염색 분체

대표 예제 2 생식세포 분열 단계

그림은 생식세포 분열 과정 중 한 단계를 나타낸 것이다.

이 과정이 관찰되는 시기는?

① 감수 1분열 전기   ② 감수 1분열 중기

③ 감수 2분열 전기   ④ 감수 2분열 중기

⑤ 감수 2분열 후기

개념 가이드

감수 1분열 [   ]에서는 [   ]가 형성된다.   답 전기, 2가 염색체

대표 예제 3 생식세포의 염색체 구성

그림은 어떤 동물의 정자에 들어 있는 염색체를 나타낸 것이다. 이 동물의 체세포에서 관찰되는 염색체 구성으로 옳은 것은?

①   ②   ③

④   ⑤

개념 가이드

정자에는 [   ]가 없고, 염색체 수는 체세포의 [   ]이다.   답 상동 염색체, 절반

대표 예제 4 체세포 분열과 생식세포 분열 비교

체세포 분열과 생식세포 분열을 옳게 비교한 것은?

	구분	체세포 분열	생식세포 분열
①	분열 횟수	2회	1회
②	염색체 수 변화	절반으로 줄어듦	변화 없음
③	2가 염색체	형성되지 않음	형성됨
④	딸세포 수	4개	2개
⑤	분열 결과	생식세포 형성	생장

개념 가이드

생식세포 분열에서는 분열이 2회 연속적으로 일어나므로 염색체 수가 [   ]으로 줄어든 생식세포가 [   ]개 만들어진다.   답 절반, 4

대표 예제 **5** 　정자와 난자

사람의 정자와 난자를 비교한 내용으로 옳은 것은?

구분	정자	난자
① 크기	크다	작다
② 운동성	없다	있다
③ 양분	없다	많다
④ 생성 장소	난소	정소
⑤ 염색체 수	23개	46개

⊘ 개념 가이드

생식세포 분열(감수 분열)을 통해 정소에서는 [　　　]가, 난소에서는 [　　　]가 만들어진다.　　　**답** 정자, 난자

대표 예제 **6** 　여자의 생식 기관

그림은 여자의 생식 기관을 나타낸 것이다. 정자와 난자가 만나서 수정이 이루어지는 곳과 수정란이 착상하는 곳을 순서대로 옳게 짝 지은 것은?

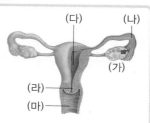

① (가)—(나)　　② (가)—(다)　　③ (나)—(다)

④ (나)—(마)　　⑤ (다)—(라)

⊘ 개념 가이드

난소에서 [　　　]으로 난자가 배출되면 이곳에서 난자와 정자가 만나 [　　　]이 이루어진다.　　　**답** 수란관, 수정

대표 예제 **7** 　사람의 발생 과정

사람의 발생 과정에 대한 설명으로 옳은 것을 〈보기〉에서 모두 고르시오.

┌ 보기 ─────────────────────────
ㄱ. 정자, 난자, 수정란의 염색체 수는 모두 같다.
ㄴ. 수정란은 자궁 안쪽 벽에 착상한 후 세포 분열을 시작한다.
ㄷ. 난할이 진행되어도 배아 전체의 크기는 수정란과 비슷하다.
ㄹ. 태아는 태반을 통해 모체로부터 영양소와 산소를 공급받는다.
└─────────────────────────────

(　　　　　　　　　　)

⊘ 개념 가이드

수정란의 초기 세포 분열을 [　　　]이라고 하며, 빠르게 분열하여 난할이 거듭될수록 딸세포의 크기는 [　　　].
답 난할, 작아진다

대표 예제 **8** 　배란에서 착상까지의 과정

다음은 배란에서 착상까지의 과정을 순서 없이 나타낸 것이다. 순서대로 옳게 나열하시오.

┌─────────────────────────────
(가) 정자와 난자가 만나 수정한다.
(나) 배아가 자궁 안쪽 벽에 파묻힌다.
(다) 난자가 난소에서 수란관으로 나온다.
(라) 수정란이 난할을 거듭하여 세포 수를 늘리면서 자궁으로 이동한다.
└─────────────────────────────

(　　　　　　　　　　)

⊘ 개념 가이드

수정된 지 약 5~7일 후 수정란은 [　　　] 상태가 되어 자궁 안쪽 벽에 [　　　]하며, 이때부터 임신이 되었다고 한다.
답 포배, 착상

3일 멘델의 유전 원리

그림으로 개념 잡기

대립 형질

내가 완두의 형질을 분석해서 유전의 기본 원리를 알아내었지.

완두의 대립 형질에는 씨의 모양과 색깔 외에도 꽃의 색깔, 꼬투리의 모양과 색깔 등이 있어.

형질	대립 형질	
	우성	열성
씨의 모양	둥글다	주름지다
씨의 색깔	황색	녹색

우열의 원리와 분리의 법칙

순종의 대립 형질을 교배 했을 때 잡종 1대에서 우성 형질만 나타나는 것을 우열의 원리라고 해. 그리고 생식세포를 만들 때 대립유전자가 서로 다른 생식세포로 나뉘어 들어가는 것을 독립의 법칙이라고 하지.

잡종 1대의 열성 형질이 사라진 것이 아니라 우성 형질에 가려져 있었던 거야.

대립유전자가 분리되어 다른 생식세포로 들어가기 때문에 잡종 2대에서 우성과 열성의 분리비가 3 : 1로 나타나게 돼.

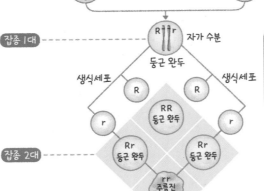

어버이 — RR 둥근 완두 / R 생식세포 — rr 주름진 완두 / r 생식세포

잡종 1대 — Rr 자가 수분 둥근 완두

생식세포 R R / 생식세포 r r

잡종 2대 — RR 둥근 완두 / Rr 둥근 완두 / Rr 둥근 완두 / rr 주름진 완두

독립의 법칙

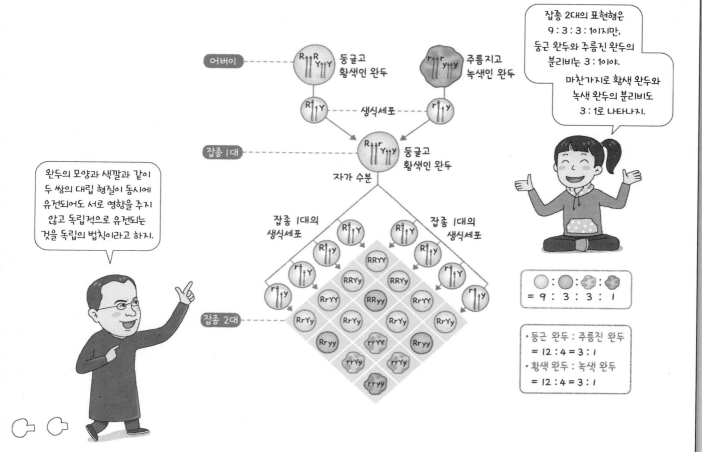

잡종 2대의 표현형은 9 : 3 : 3 : 1이지만, 둥근 완두와 주름진 완두의 분리비는 3 : 1이야. 마찬가지로 황색 완두와 녹색 완두의 분리비도 3 : 1로 나타나지.

완두의 모양과 색깔과 같이 두 쌍의 대립 형질이 동시에 유전되어도 서로 영향을 주지 않고 독립적으로 유전되는 것을 독립의 법칙이라고 하지.

어버이 ······ 둥글고 황색인 완두 / 주름지고 녹색인 완두

생식세포

잡종 1대 ······ 둥글고 황색인 완두

자가 수분

잡종 1대의 생식세포

잡종 1대의 생식세포

잡종 2대 ······

○ : ○ : ◇ : ◇
= 9 : 3 : 3 : 1

• 둥근 완두 : 주름진 완두
  = 12 : 4 = 3 : 1
• 황색 완두 : 녹색 완두
  = 12 : 4 = 3 : 1

Quiz

1. 한 가지 형질에 대해 뚜렷하게 대비되는 특징을 ❶ (우성, 대립 형질)이라고 한다.

2. 독립의 법칙은 두 쌍의 대립 유전자가 각각 ❷ (같은, 다른) 염색체에 존재할 때 성립한다.

답 ❶ 대립 형질 ❷ 다른

3일 교과서 핵심 정리 ①

개념 1 유전 용어

형질	생물이 가진 고유한 생김새와 특징　예 색, 모양
대립 형질	한 형질에 대해 서로 뚜렷하게 구별되는 형질　예 완두 씨의 색깔: 황색 ↔ 녹색
표현형	겉으로 나타나는 형질　예 완두 씨의 모양이 둥근 것, 주름진 것
유전자형	❶ [　　　] 구성을 알파벳 기호로 나타낸 것　예 RR, Rr, rr
순종	한 가지 형질을 나타내는 대립유전자 구성이 같은 개체　예 PP, pp
잡종	한 가지 형질을 나타내는 ❷ [　　　] 구성이 다른 개체　예 Pp

└ 대립 형질을 결정하는 유전자로, 상동 염색체의 같은 위치에 있다.

❶ 대립유전자

❷ 유전자(대립유전자)

개념 2 한 쌍의 대립 형질 유전

멘델이 사용한 완두가 유전 실험의 재료로 적합한 까닭

• 기르기 쉽고, 한 세대가 ❸ [　　　]며, 자손의 수가 많아 통계적인 분석에 유리하다.
• ❹ [　　　]이 뚜렷하여 교배 결과를 명확하게 해석할 수 있다.
• 자가 수분과 타가 수분이 모두 가능하여 의도한 대로 형질을 교배할 수 있다.

└ 수술의 꽃가루가 같은 그루의 꽃에 있는 암술에 붙는 현상을 자가 수분, 수술의 꽃가루가
　다른 그루의 꽃에 있는 암술에 붙는 현상을 타가 수분이라고 한다.

❸ 짧으

❹ 대립 형질

1. 우열의 원리　대립 형질(둥근 완두 ↔ 주름진 완두)을 가진 순종의 개체끼리 교배하여 얻은 잡종
1대에서 ❺ [　　　] 형질(둥근 완두)만 나타나는 현상

우성	순종의 대립 형질 간의 교배 시 잡종 1대에서 나타나는 형질
열성	순종의 대립 형질 간의 교배 시 잡종 1대에서 나타나지 않는 형질

❺ 우성

2. 분리의 법칙　생식세포를 만들 때 1쌍의 대립유전자가 분리되어 서로 다른 ❻ [　　　]로 들어
가는 것을 분리의 법칙이라고 하며, 그 결과 잡종 1대를 자가 수분시켜 얻은 잡종 2대에서 우성
(둥근 완두)과 열성(주름진 완두)이 일정한 비율(우성 : 열성 = ❼ [　　　])로 나타난다.

❻ 생식세포

❼ 3 : 1

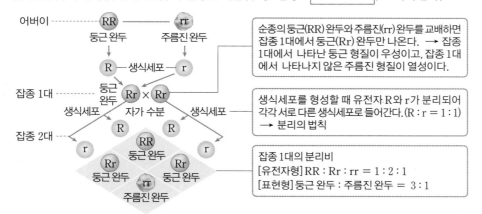

순종의 둥근(RR) 완두와 주름진(rr) 완두를 교배하면
잡종 1대에서 둥근(Rr) 완두만 나온다. → 잡종
1대에서 나타난 둥근 형질이 우성이고, 잡종 1대
에서 나타나지 않은 주름진 형질이 열성이다.

생식세포를 형성할 때 유전자 R와 r가 분리되어
각각 서로 다른 생식세포로 들어간다.(R : r = 1 : 1)
→ 분리의 법칙

잡종 1대의 분리비
[유전자형] RR : Rr : rr = 1 : 2 : 1
[표현형] 둥근 완두 : 주름진 완두 = 3 : 1

기초 확인 문제

정답과 해설 **8쪽**

01 다음 설명에서 빈칸에 알맞은 말을 쓰시오.

> 완두 씨의 색깔, 모양, 꽃의 색깔 등과 같이 생물이 가진 고유한 생김새와 특징을 (   )이라고 하며, 하나의 형질에서 서로 뚜렷한 대립 관계에 있는 것을 (   )이라고 한다.

02 다음 설명에 해당하는 용어를 〈보기〉에서 골라 그 기호를 쓰시오.

> ┤ 보기 ├
> ㄱ. 교배   ㄴ. 순종
> ㄷ. 자가 수분   ㄹ. 타가 수분

(1) 한 형질을 나타내는 유전자 구성이 같은 개체
                                    (   )

(2) 실험을 목적으로 두 개체를 인공적으로 수분시키는 것   (   )

(3) 수술의 꽃가루가 같은 그루의 꽃에 있는 암술머리에 수분되는 현상   (   )

03 다음 유전자형이 순종이면 '순', 잡종이면 '잡'이라고 쓰시오.

(1) AA: (   )   (2) aa: (   )

(3) Aa: (   )   (4) AAbb: (   )

(5) AaBb: (   )   (6) AABB: (   )

04 다음 설명이 나타내는 멘델의 유전 원리를 쓰시오.

(1) 순종의 대립 형질끼리 교배할 때 잡종 1대에서는 우성 형질만 나온다.   (   )

(2) 쌍을 이루고 있던 대립유전자가 생식세포 분열이 일어날 때 분리되어 서로 다른 생식세포로 들어간다.   (   )

05 그림과 같이 순종의 황색 완두 (가)와 순종의 녹색 완두 (나)를 교배하여 얻은 잡종 1대 (다)를 자가 수분하여 잡종 2대를 얻었다.

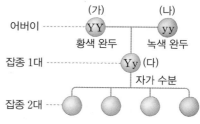

(1) (가)~(다)에서 각각 만들어지는 생식세포의 종류를 모두 쓰시오.

(가): (   ), (나): (   ), (다): (   )

(2) 잡종 2대에서 총 800개의 완두를 얻었다면 이 중 황색 완두의 개수는 이론상 몇 개인지 쓰시오.
                                    (   )

3일 교과서 핵심 정리 ②

개념 3 멘델의 가설

1. 생물에는 형질을 결정하는 한 쌍(2개)의 유전 인자가 있으며, 유전 인자는 부모에서 자손으로 전달된다.
   └ 유전 인자는 오늘날의 유전자이다.

2. 한 형질에 대해 서로 다른 유전 인자를 가지고 있으면 하나가 다른 유전 인자를 억제하고 우세한 유전 인자만 표현된다. ➡ **❶** 의 원리

3. 쌍으로 있는 유전 인자는 생식세포를 만들 때 나누어져 서로 다른 생식세포로 들어가고, 암수의 생식세포가 수정하면 유전 인자가 다시 쌍을 이룬다. ➡ **❷** 의 법칙

❶ 우열

❷ 분리

개념 4 두 쌍의 대립 형질 유전

1. **멘델의 실험** 순종의 둥글고 황색인 완두와 순종의 주름지고 녹색인 완두를 교배하여 얻은 잡종 1대를 자가 수분하였더니 잡종 2대에서 둥글고 황색, 둥글고 녹색, 주름지고 황색, 주름지고 녹색인 완두가 약 9:3:3:1의 비로 나타났다.

   ① 완두 씨의 모양에 대한 표현형의 비
   ➡ 둥근 모양 : 주름진 모양 = 12 : 4 = 3 : 1

   ② 완두 씨의 색깔에 대한 표현형의 비
   ➡ 황색 : 녹색 = 12 : 4 = 3 : 1

   └ 완두 씨의 모양과 색깔에 대한 대립유전자 쌍이 서로 영향을 미치지 않고 각각 분리되어 서로 다른 생식세포로 들어가는 것을 알 수 있다.

2. **독립의 법칙** 다른 형질의 유전자는 서로 독립적으로 분리의 법칙에 따라 유전되는 현상 ➡ 씨의 모양과 색깔 유전은 각각 **❸** 의 법칙(우성 : 열성=3:1)이 성립한다.

❸ 분리

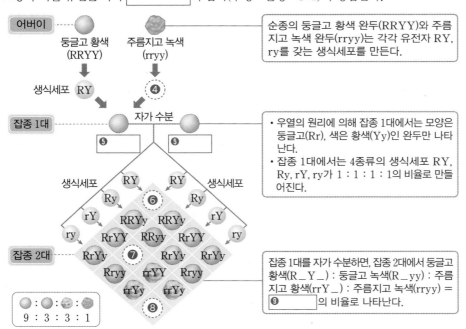

순종의 둥글고 황색 완두(RRYY)와 주름지고 녹색 완두(rryy)는 각각 유전자 RY, ry를 갖는 생식세포를 만든다.

• 우열의 원리에 의해 잡종 1대에서는 모양은 둥글고(Rr), 색은 황색(Yy)인 완두만 나타난다.
• 잡종 1대에서는 4종류의 생식세포 RY, Ry, rY, ry가 1 : 1 : 1 : 1의 비율로 만들어진다.

잡종 1대를 자가 수분하면, 잡종 2대에서 둥글고 황색(R_Y_) : 둥글고 녹색(R_yy) : 주름지고 황색(rrY_) : 주름지고 녹색(rryy) = **❾** 의 비율로 나타난다.

❹ ry

❺ RrYy

❻ RRYY

❼ RrYy

❽ rryy

❾ 9 : 3 : 3 : 1

06 멘델의 가설에 대한 설명으로 옳은 것을 〈보기〉에서 모두 고르시오.

> **보기**
> ㄱ. 생물에는 한 가지 형질을 결정하는 한 쌍의 유전 인자가 있다.
> ㄴ. 한 쌍을 이루는 유전 인자가 서로 다를 때 하나의 유전 인자만 형질로 나타난다.
> ㄷ. 한 쌍을 이루는 유전 인자는 생식세포가 만들어질 때 각 생식세포로 나뉘어 들어간다.

(   )

07 다음은 특정 유전 형질을 갖는 개체에서 만들어지는 생식세포의 종류를 확인하는 방법이다.

> **보기**
> ㄱ. $RRYy - R \diagdown \begin{matrix} Y \longrightarrow RY \\ y \longrightarrow Ry \end{matrix}$
> ㄴ. $Rryy \diagdown \begin{matrix} R - y \longrightarrow Ry \\ r - y \longrightarrow ry \end{matrix}$

이 방법을 이용하여 빈칸을 옳게 채우시오.

(1) $RRYY - R - Y \longrightarrow$ ㉠(   )

(2) $rrYy - r \diagdown \begin{matrix} ㉡(\quad) \longrightarrow rY \\ y \longrightarrow ㉢(\quad) \end{matrix}$

(3) $RrYy - R \diagdown \begin{matrix} Y \longrightarrow ㉣(\quad) \\ ㉤(\quad) \longrightarrow Ry \end{matrix}$
$\quad\quad\quad ㉥(\quad) \diagdown \begin{matrix} Y \longrightarrow rY \\ y \longrightarrow ㉦(\quad) \end{matrix}$

[08~09] 그림과 같이 순종의 둥글고 황색 완두와 주름지고 녹색인 완두를 교배하여 잡종 1대를 얻고 잡종 1대를 자가 수분하여 잡종 2대를 얻었다.

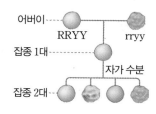

08 다음은 잡종 1대에서 둥글고 황색 완두만 나온 것을 통해 알 수 있는 것이다. 빈칸에 알맞은 말을 쓰시오.

(1) 모양은 (   )이 우성이다.

(2) 색깔은 (   )이 우성이다.

(3) 두 가지 형질의 유전에서도 한 가지 형질의 유전에서와 같이 (   )가 적용된다.

09 잡종 2대에서 나타나는 다음 값을 쓰시오.

(1) 둥글고 황색 : 둥글고 녹색 : 주름지고 황색 : 주름지고 녹색 = (   )

(2) 둥근 모양 : 주름진 모양 = (   )

(3) 황색 : 녹색 = (   )

(4) 모양과 색깔이 모두 순종인 것은 (   ) 종류이다.

10 다음은 독립의 법칙에 대한 설명이다. 빈칸에 들어갈 알맞은 말을 쓰시오.

> 독립의 법칙은 두 쌍 이상의 대립 형질이 동시에 유전될 때, 한 형질을 나타내는 ㉠(   ) 유전자 쌍은 다른 형질을 나타내는 ㉠(   ) 유전자 쌍의 영향을 받지 않고 각각 독립적으로 ㉡(   )의 법칙에 따라 유전된다는 원리이다.

대표 예제 **1**   유전 용어

유전 용어에 대한 설명으로 옳은 것을 〈보기〉에서 모두 고르시오.

─ 보기 ─
ㄱ. RRyy는 잡종이다.
ㄴ. 순종은 잡종에 대해 우성이다.
ㄷ. 우성은 열성보다 우수한 형질이다.
ㄹ. 열성은 대립 형질을 가진 순종의 개체끼리 교배했을 때 잡종 1대에서 나타나지 않는 형질이다.

(   )

개념 가이드

순종의 대립 형질끼리 교배했을 때 잡종 1대에서 나타나는 형질을 ☐, 나타나지 않는 형질을 ☐이라고 한다.

답 우성, 열성

대표 예제 **2**   멘델의 유전

완두가 유전 연구에 적합한 까닭으로 옳지 <u>않은</u> 것은?

① 구하기 쉽다.
② 한 세대가 길다.
③ 자손의 수가 많다.
④ 대립 형질이 뚜렷하다.
⑤ 자가 수분을 통하여 순종을 얻기 쉽다.

개념 가이드

완두는 한 세대가 ☐, 대립 형질이 뚜렷하며, 자손의 수가 ☐아서 유전 연구에 적합하다.

답 짧고, 많

대표 예제 **3**   한 쌍의 대립 형질 유전

그림과 같이 순종의 둥근 완두와 주름진 완두를 교배하여 얻은 잡종 1대를 자가 교배하여 120개의 완두를 얻었다.

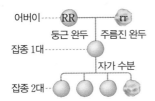

어버이 ---- RR   rr
둥근 완두   주름진 완두
잡종 1대 ----
자가 수분
잡종 2대 --

잡종 2대의 완두 중 잡종 1대와 유전자형이 같은 완두의 이론적 개수는?

① 0개   ② 30개   ③ 40개
④ 60개   ⑤ 90개

개념 가이드

잡종 2대에서 우성(둥근 완두) : 열성(주름진 완두)= ☐이고, RR : Rr : Rr= ☐이다.

답 3 : 1, 1 : 2 : 1

대표 예제 **4**   두 쌍의 대립 형질 유전

유전자형이 RrYy인 둥글고 황색인 완두의 대립유전자 구성을 염색체 상에 옳게 나타낸 것은? (단, 완두 씨의 모양을 나타내는 유전자와 색깔을 나타내는 유전자는 서로 다른 상동 염색체에 있다.)

① R ∥ R   ② R ∥ R   ③ R ∥ r
   Y ∥ Y   Y ∥ y   Y ∥ y

④ R ∥ Y   ⑤ R ∥ r
   r ∥ y   Y ∥ y

개념 가이드

대립유전자는 상동 염색체의 ☐ 위치에 있다.

답 같은

대표 예제 **5**　두 쌍의 대립 형질 유전

그림과 같이 순종의 둥글고 황색인 완두와 주름지고 녹색인 완두를 교배하여 잡종 1대를 얻었다. 잡종 1대에 대한 설명으로 옳은 것을 〈보기〉에서 모두 고르시오.

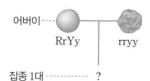

RRYY (어버이) — 둥글고 황색
rryy — 주름지고 녹색
잡종 1대 ⋯⋯ ?

┌ 보기 ─────────────────────
ㄱ. 유전자형은 RrYy이다.
ㄴ. 모두 둥글고 황색인 완두만 나온다.
ㄷ. 잡종 1대에서 만들어지는 생식세포의 종류는 Rr, Yy 2종류이다.
└──────────────────────────

(　　　　　　　　　)

🧭 **개념 가이드**

잡종 1대에서는 □ 종류의 생식세포가 RY, Ry, rY, ry = □ 의 비율로 만들어진다.　🅐 4, 1:1:1:1

대표 예제 **6**　두 쌍의 대립 형질 유전

그림과 같이 순종의 둥글고 황색인 완두와 주름지고 녹색인 완두를 교배하여 얻은 잡종 1대를 자가 수분하여 잡종 2대를 얻었다. 잡종 2대에서 총 1600개의 완두를 얻었다면 그중 주름지고 황색인 완두는 이론상 몇 개인가?

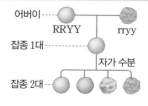

어버이 — RRYY / rryy
잡종 1대
자가 수분
잡종 2대

① 100개　　② 300개　　③ 600개
④ 900개　　⑤ 1600개

🧭 **개념 가이드**

잡종 2대에서 둥글고 황색 : 주름지고 녹색 : 주름지고 황색 : 주름지고 녹색 = □ : 3 : □ : 1로 나타난다.　🅐 9, 3

대표 예제 **7**　두 쌍의 대립 형질 유전

그림과 같이 잡종의 둥글고 황색인 완두와 순종의 주름지고 녹색인 완두를 교배하여 자손을 얻었다.

어버이 ⋯⋯ RrYy / rryy
잡종 1대 ⋯⋯ ?

자손에서 나올 수 있는 유전자형이 <u>아닌</u> 것은?

① RrYy　　② Rryy　　③ RRyy
④ rrYy　　⑤ rryy

🧭 **개념 가이드**

RrYy에서 만들어지는 생식세포는 □, Ry, rY, ry이고, rryy에서 만들어지는 생식세포는 □ 이다.　🅐 RY, ry

대표 예제 **8**　독립의 법칙

그림은 완두의 두 쌍의 대립 형질에 대한 유전을 나타낸 것이다.

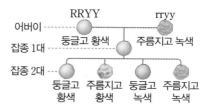

어버이 — RRYY 둥글고 황색 / rryy 주름지고 녹색
잡종 1대
잡종 2대 — 둥글고 황색 / 주름지고 황색 / 둥글고 녹색 / 주름지고 녹색

잡종 2대에서 1600개의 완두를 얻었다면 이 중 주름진 완두는 이론상 몇 개인지 쓰시오.

(　　　　　　　　　)

🧭 **개념 가이드**

잡종 2대에서 둥근 모양 : 주름진 모양 = 3 : 1, 황색 : 녹색 = □ 로 두 형질은 각각 독립적으로 □ 이 성립한다.　🅐 3:1, 분리의 법칙

4일 사람의 유전

그림으로 개념 잡기

사람의 다양한 유전 형질

머리 선 모양, 쌍꺼풀 유무 등은 대립 형질이 뚜렷하고 멘델의 유전 법칙을 따라 유전돼.

유전자가 상염색체에 있어 성별에 따른 차이도 나타나지 않아.

머리 선 모양

눈꺼풀 모양

보조개 유무

귓불 모양

엄지손가락 젖혀짐

2번째 발가락 길이

미맹 유전

PTC 용액에 쓴맛을 느끼는 형질이 우성, 느끼지 못하는 형질이 열성이야.

미맹 유전자는 상염색체에 있고, 멘델의 우열의 원리와 분리의 법칙을 잘 따르지.

PTC 용액

공부할 내용
❶ 사람의 유전 연구
❷ 가계도 분석 방법
❸ 상염색체 유전
❹ 성염색체 유전

ABO식 혈액형 유전

이처럼 3개 이상의 대립유전자가 관여하는 유전을 복대립 유전이라고 해.

ABO식 혈액형을 결정하는 데 관여하는 대립유전자는 A, B, O 세 가지가 있어.

하지만 혈액형을 결정하는 데에는 2개의 대립유전자가 필요하지.

표현형	A형		B형		AB형	O형
대립유전자						
유전자형	AA	AO	BB	BO	AB	OO

색맹 유전

여자는 1개의 X 염색체에 색맹 유전자가 있으면 정상으로 나타나.

색맹 유전자는 성염색체인 X 염색체에 있어서 여자보다 남자가 색맹이 나타날 확률이 높아.

유전자가 성염색체에 있어 남녀에 따라 나타나는 비율이 다른 유전을 반성 유전이라고 해.

표현형과 유전자형		
	정상	색맹
남자	 X Y	X′ Y
여자	X X	X X′	X′ X′

Quiz

1. 미맹은 ❶ (상, 성)염색체에 있는 한 쌍의 대립유전자에 의해 형질이 결정된다.

2. ABO식 혈액형을 결정하는 데 관여하는 대립유전자 A와 B 사이에는 우열 관계가 없고, O는 A와 B에 대해 ❷ (우성, 열성)이다.

답 ❶상 ❷열성

4일 교과서 핵심 정리 ①

개념 1 사람의 유전 연구

1. 사람의 유전 연구가 어려운 까닭

① 자손의 수가 [❶   ]. – 통계 자료로 활용할 충분한 사례를 얻기 어렵다.

② 한 세대가 [❷   ]. – 여러 세대를 직접 관찰하기 어렵다.

③ 대립 형질이 복잡하고, 환경의 영향을 많이 받고, 교배 실험이 불가능하다.

2. 사람의 유전 연구 방법 – 주로 간접적인 방법을 이용한다.

가계도 조사	특정한 유전 형질을 가지고 있는 집안에서 여러 세대에 걸쳐 그 형질이 어떻게 유전되는지 [❸]를 그려 알아보는 방법
쌍둥이 연구	1란성 쌍둥이(유전자 구성 동일)와 2란성 쌍둥이(유전자 구성 상이)를 비교하여 유전과 환경이 특정한 형질에 미치는 영향을 알아보는 방법
통계 조사법	특정 형질이 사람에게 나타난 사례를 가능한 많이 수집하고, 자료를 통계적으로 처리, 분석하여 유전 원리나 유전자 분포 등을 연구한다.
염색체 및 DNA 분석	• 염색체 분석: 염색체 이상에 의한 [❹]을 진단할 수 있다. • DNA 분석: 특정 형질과 관련된 유전자 정보를 얻거나, 부모와 자손의 DNA를 비교하여 특정 형질의 유전 여부를 연구한다.

└ 최근의 유전 연구 방법이다.

❶ 적다
❷ 길다
❸ 가계도
❹ 유전병

개념 2 가계도 분석 방법

1. 가계도 조사로 알 수 있는 특징

① 열성 형질 사이에서는 [❺   ] 형질만 태어난다.

② 부모 모두 우성 형질인데 자녀 중에 열성 형질이 있으면 부모의 유전자형은 [❻   ]이다.

③ 우성과 열성의 판단: 부모에게 없던 형질이 자녀에게 나타나면 부모의 형질이 우성, 자녀의 형질이 열성이다.

❺ 열성
❻ 잡종

 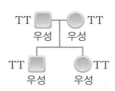 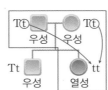

2. 가계도의 유전자를 표시하는 순서

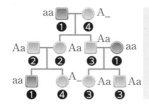

❶ 열성의 유전자형을 적는다.

❷ 열성 자녀의 부모 중 우성 형질은 모두 [❼   ]이다.

❸ 열성 부모의 자녀 중 우성 형질은 모두 잡종이다.

❹ 우성 형질 중에서 부모와 자녀 중에 열성이 없는 개체의 유전자형은 순종인지 잡종인지 알 수 없다.

❼ 잡종

기초 확인 문제

정답과 해설 10쪽

01 사람의 유전 연구가 어려운 까닭에 대한 설명으로 옳은 것을 〈보기〉에서 모두 고르시오.

> ┌ 보기 ┐
> ㄱ. 한 세대가 길다.
> ㄴ. 자손의 수가 많다.
> ㄷ. 대립 형질이 복잡하다.
> ㄹ. 자유로운 교배가 가능하다.

( )

02 다음 설명에 해당하는 사람의 유전 연구 방법을 〈보기〉에서 찾아 기호로 쓰시오.

> ┌ 보기 ┐
> ㄱ. 통계 조사   ㄴ. 쌍둥이 연구
> ㄷ. 유전자 조사   ㄹ. 가계도 연구

(1) 유전 공학이 발달한 오늘날에 자주 이용되는 방법으로 정확도가 매우 높다. ( )
(2) 특정 형질에 대한 한 집안의 구성원 조사를 통하여 특정 형질의 유전 방식을 알아본다. ( )
(3) 특정 형질에 대하여 많은 사람을 대상으로 조사한 후 그 형질의 유전 방식을 알아본다. ( )

03 그림은 쌍둥이의 한 종류를 나타낸 것이다. 이 쌍둥이의 특징으로 옳은 것은 ○, 옳지 <u>않은</u> 것은 × 로 표시하시오.

(1) 유전자 구성이 똑같다. ( )
(2) 개체의 형질에 미치는 환경의 영향을 알아볼 수 있다. ( )

04 그림은 어느 집안의 귓불 유전에 대한 가계도를 조사한 것이다.

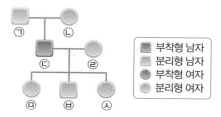

범례
■ 부착형 남자
□ 분리형 남자
● 부착형 여자
○ 분리형 여자

귓불의 분리형 대립유전자를 E, 귓불의 부착형 대립유전자를 e라고 할 때 다음 설명에 따라 각 번호의 유전자형을 쓰시오.

(1) ⓒ의 유전자형

> 표현형이 열성인 사람은 모두 순종이다. → 표현형이 열성인 사람의 유전자형을 기록한다.

( )

(2) ㉠, ㉡의 유전자형

> 대립유전자는 각각 아버지와 어머니로부터 하나씩 받는다. → 부모의 표현형이 우성일 때 자녀가 열성(ee)이면 부모의 유전자형은 잡종이다.

( )

(3) ㉤, ㉥, ㉦의 유전자형

> 열성(ee)에서는 한 종류의 생식세포(e)가 만들어진다. → 부모 중 한 쪽이 열성이면 우성인 자녀의 유전자형은 모두 잡종이다.

( )

(4) ㉣의 유전자형

> 위 조건에 해당하지 않는 사람의 유전자형은 정확히 알 수 없다.

( )

교과서 **핵심 정리** ②

개념 **3** 상염색체 유전

1. 상염색체에 있는 한 쌍의 대립유전자에 의해 결정되는 유전 멘델의 분리의 법칙에 따라 유전되며, 대립 형질이 비교적 명확하게 구분되고, 남녀에 따라 형질이 나타나는 빈도에 차이가 **❶** .

구분	혀 말기	귓불 모양	눈꺼풀	보조개	엄지 모양	이마 선 모양
우성	가능	분리형	쌍꺼풀	있음	굽는 엄지	V자형
열성	불가능	부착형	외까풀	없음	굽지 않는 엄지	일자형

2. ABO식 혈액형 유전 한 쌍의 대립유전자에 의해 형질이 결정되며, A, B, O 세 가지 대립유전자가 관여한다. 유전자의 우열 관계: A=B>O

표현형	A형	B형	O형	AB형
유전자형	AA, **❷**	BB, **❸**	OO	**❹**

예 여러 경우의 혈액형 가계도

혈액형	A형 – B형	A형 – O형	AB형 – O형	AB형 – AB형
유전자형	AO BO	AO OO	AB OO	AB AB
생식세포	A O B O	A O O	A B O	A B A B
자녀의 혈액형	AB AO BO OO	AO OO	AO BO	AA AB AB BB
	AB형 A형 B형 O형	**❺** 형 O형	A형 **❻** 형	A형 AB형 AB형 B형

└ 부모의 유전자형이 AO, BO인 경우 AB형, A형, B형, O형인 자녀가 모두 태어날 수 있다.

개념 **4** 성염색체 유전

1. 반성 유전 유전자가 성염색체에 있어 유전 형질이 나타나는 빈도가 남녀에 따라 차이가 나는 유전 현상 예 적록 색맹, 혈우병
└ 혈액이 응고되지 않아 상처가 나면 출혈이 잘 멈추지 않는 병

2. 적록 색맹 유전 적색과 녹색이 섞여 있을 때 두 색을 잘 구별하지 못하는 유전 형질로, 형질을 결정하는 유전자가 성염색체인 X 염색체에 있다.
① 적록 색맹 대립유전자(X′)는 정상 대립유전자(X)에 대해 열성이다. (X>X′)
② 여자보다 남자에게 더 많이 나타난다. ─남자(XY)는 적록 색맹 대립유전자(X′)가 1개만 있어도 적록 색맹이 되지만, 여자(XX)는 2개의 X 염색체에 모두 적록 색맹 대립유전자가 있어야 적록 색맹이 되기 때문이다.

표현형	정상		색맹	
	남자	여자	남자	여자
유전자형	XY	XX, XX′(보인자)	**❼**	**❽**

❶ 없다
❷ AO
❸ BO
❹ AB
❺ A
❻ B·
❼ X′Y
❽ X′X′

기초 확인 문제

정답과 해설 **10**쪽

05 그림은 사람의 유전 형질을 나타낸 것이다. 각 형질에서 우성 형질이 무엇인지 쓰시오.

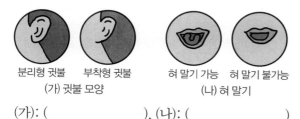

분리형 귓불   부착형 귓불   혀 말기 가능   혀 말기 불가능
(가) 귓불 모양   (나) 혀 말기

(가): (   ), (나): (   )

06 상염색체 유전에 대한 〈보기〉의 설명 중 옳은 것을 모두 고르시오.

┌ 보기 ├─
ㄱ. 유전자가 Y 염색체에 위치한다.
ㄴ. 멘델의 분리의 법칙을 따르지 않는다.
ㄷ. 남녀에 따라 형질이 나타나는 빈도에 차이가 없다.

(   )

07 그림은 ABO식 혈액형의 유전자 구성을 나타낸 것이다. 각각의 표현형을 쓰시오.

(1) (   )형   (2) (   )형   (3) (   )형

(4) (   )형   (5) (   )형   (6) (   )형

08 그림은 어느 가족의 ABO식 혈액형 유전 가계도를 나타낸 것이다.

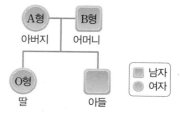

(1) 아버지와 어머니의 ABO식 혈액형 유전자형을 쓰시오.

(가): 아버지 (   ), (나): 어머니 (   )

(2) 아들이 가질 수 있는 ABO식 혈액형을 모두 쓰시오 .

(   )

09 그림은 어느 가족의 적록 색맹 유전 가계도를 나타낸 것이다.

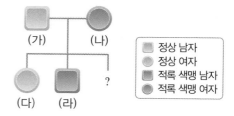

(1) (가)~(라)의 유전자형을 쓰시오.

(가): (   ), (나): (   )
(다): (   ), (라): (   )

(2) (라)는 누구로부터 적록 색맹 대립유전자를 물려받은 것인지 기호를 쓰시오.

(   )

(3) 이 가족에 셋째 아이가 태어날 때 그 아이가 적록 색맹인 아들일 확률은 몇 %인지 쓰시오.

(   )

대표 예제 1　사람 유전 연구가 어려운 까닭

사람을 대상으로 한 유전 연구가 어려운 까닭으로 옳지 않은 것은?

① 한 세대가 길다.

② 자녀를 적게 낳는다.

③ 유전 형질이 복잡하다.

④ 자유로운 교배가 가능하다.

⑤ 환경의 영향을 많이 받는다.

🧭 **개념 가이드** ----------------------------------

사람은 한 세대가 [　　], 자손의 수가 [　　], 형질이 복잡하고 환경의 영향을 많이 받아 유전 현상을 분석하기 어렵다.

📙 **답** 길고, 적으며

대표 예제 2　사람의 유전 연구 방법

다음은 사람의 유전 연구 방법에 대한 설명이다.

> (가) 한 집안에서 특정 형질의 유전을 살펴본다.
> (나) 많은 사람을 대상으로 특정 형질을 조사한다.

각 연구 방법을 옳게 나타낸 것은?

① (가) 통계 조사

② (가) 가계도 조사

③ (가) 염색체 분석

④ (나) 가계도 조사

⑤ (나) 염색체 분석

🧭 **개념 가이드** ----------------------------------

사람의 유전 연구 방법에는 [　　] 연구, 가계도 조사, [　　] 조사, 염색체와 DNA 분석 등이 있다.

📙 **답** 쌍둥이, 통계

대표 예제 3　가계도 분석

그림은 어떤 형질에 대한 가계도를 나타낸 것이다. 이를 통해 알 수 있는 사실을 〈보기〉에서 모두 고르시오. (단, (라)는 이 형질을 나타낸다.)

> ┌ 보기 ┐
> ㄱ. (가)는 잡종이다.
> ㄴ. (나)는 순종인지 잡종인지 알 수 없다.
> ㄷ. (다)는 순종이다.
> ㄹ. (라)는 순종이다.

(　　　　　　　　　)

🧭 **개념 가이드** ----------------------------------

부모에서 없던 형질이 자녀에게 나타나면 자녀에게 나타난 형질이 [　　]이고, 부모의 유전자형은 [　　]이다.

📙 **답** 열성, 잡종

대표 예제 4　상염색체 유전

상염색체 유전에 대한 설명으로 옳은 것을 〈보기〉에서 모두 고른 것은?

> ┌ 보기 ┐
> ㄱ. 멘델의 분리의 법칙에 따라 유전된다.
> ㄴ. 1쌍의 대립유전자에 의해 형질이 결정된다.
> ㄷ. 남녀에 따라 형질이 나타나는 빈도가 다르다.

① ㄱ　　　　　② ㄱ, ㄴ　　　　　③ ㄱ, ㄷ

④ ㄴ, ㄷ　　　　　⑤ ㄱ, ㄴ, ㄷ

🧭 **개념 가이드** ----------------------------------

상염색체 유전은 유전자가 [　　]에 있고, 멘델의 분리의 법칙을 따르며, 남녀에 따라 형질이 나타나는 빈도가 [　　].

📙 **답** 상염색체, 같다

대표 예제 **5** 귓불 모양의 유전

그림은 민수네 가족의 귓불 모양 가계도를 나타낸 것이다.

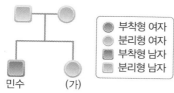

- ● 부착형 여자
- ● 분리형 여자
- ■ 부착형 남자
- ■ 분리형 남자

(가)가 순종의 분리형 귓불일 확률은 몇 %인가?

① 0 %　　　② 25 %　　　③ 50 %

④ 75 %　　　⑤ 100 %

개념 가이드

자녀의 형질이 열성이면 부모로부터 [　　] 대립유전자를 하나씩 물려받았으므로 부모는 모두 열성 대립유전자를 하나씩 가지고 있는 [　　]이다.　　**답** 열성, 잡종

대표 예제 **6** 혀 말기 유전

그림은 어느 집안의 혀 말기 유전에 관한 가계도를 나타낸 것이다.

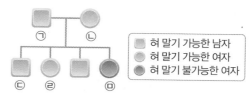

- ■ 혀 말기 가능한 남자
- ● 혀 말기 가능한 여자
- ● 혀 말기 불가능한 여자

혀 말기 유전자형을 알 수 없는 사람의 기호를 모두 쓰시오.

(　　　　　　　　)

개념 가이드

혀 말기 유전은 멘델의 [　　]의 원리와 [　　]의 법칙을 잘 따르며, 유전자가 상염색체에 있다.　　**답** 우열, 분리

대표 예제 **7** ABO식 혈액형

AB형과 O형 사이에서 태어난 B형 남자와, AB형 여자 사이에서 태어날 수 있는 자녀의 혈액형을 모두 나타낸 것은?

① B형

② B형, AB형

③ A형, B형, O형

④ A형, B형, AB형

⑤ A형, B형, O형, AB형

개념 가이드

부모의 ABO식 혈액형 유전자형이 각각 AO, [　　]이면 자녀의 ABO식 혈액형은 A형, B형, O형, AB형이 모두 나올 수 있다.　　**답** BO

대표 예제 **8** 적록 색맹 유전

그림과 같이 적록 색맹인 어머니와 정상인 아버지 사이에서 태어날 자녀에 대한 설명으로 옳은 것은?

- ■ 정상 남자
- ● 적록 색맹 여자

① 아들은 항상 정상이다.

② 딸은 항상 적록 색맹이다.

③ 아들은 항상 적록 색맹이다.

④ 딸이 적록 색맹이 될 확률은 50 %이다.

⑤ 아들은 모두 적록 색맹 대립유전자를 가진 보인자이다.

개념 가이드

유전자가 [　　]에 있어 유전 형질이 나타나는 빈도가 남녀에 따라 차이 나는 유전 현상을 [　　]이라고 한다.　　**답** 성염색체, 반성 유전

그림으로 개념 잡기

역학적 에너지 전환과 보존

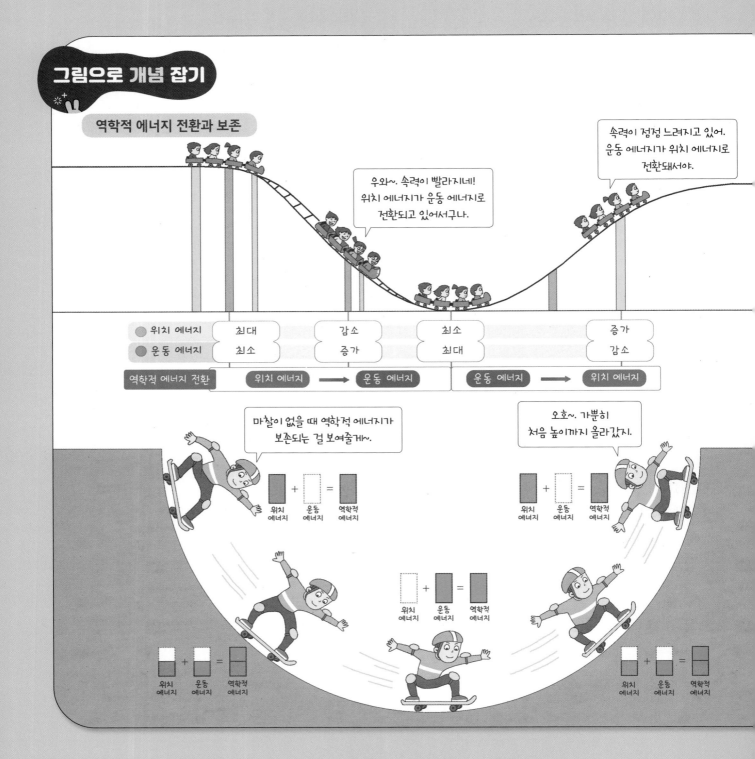

속력이 점점 느려지고 있어.
운동 에너지가 위치 에너지로
전환돼서야.

우와~. 속력이 빨라지네!
위치 에너지가 운동 에너지로
전환되고 있어서구나.

위치 에너지	최대	감소	최소	증가
운동 에너지	최소	증가	최대	감소

역학적 에너지 전환	위치 에너지 → 운동 에너지	운동 에너지 → 위치 에너지

마찰이 없을 때 역학적 에너지가
보존되는 걸 보여줄게~.

오호~. 가뿐히
처음 높이까지 올라갔지.

위치 에너지 + 운동 에너지 = 역학적 에너지

위치 에너지 + 운동 에너지 = 역학적 에너지

위치 에너지 + 운동 에너지 = 역학적 에너지

위치 에너지 + 운동 에너지 = 역학적 에너지

위치 에너지 + 운동 에너지 = 역학적 에너지

에너지 전환과 보존

100 J
기타

200 J
소리 에너지

250 J
공기의
운동 에너지

1000 J
공급된
전기
에너지

450 J
공기의
열에너지

에너지가 전환될 때 새로
생겨나거나 없어지지 않고
그 양은 항상 일정하게 보존돼.

위치 에너지

소리 에너지

열에너지

운동 에너지

Quiz

1. 롤러코스터가 높은 곳에서 낮은 곳으로 내려갈 때 ❶ (위치, 운동) 에너지가 ❷ (위치, 운동) 에너지로 전환된다.

2. 에너지가 전환될 때 에너지의 양은 항상 일정하게 보존된다는 것을 에너지 ❸ (전환, 보존) 법칙이라고 한다.

답 ❶ 위치 ❷ 운동 ❸ 보존

5일 교과서 **핵심 정리** ①

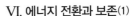

개념 1 역학적 에너지 전환

1. 역학적 에너지 물체의 위치 에너지와 ❶[　　　] 에너지의 합

> 역학적 에너지 = 위치 에너지 + 운동 에너지

❶ 운동

2. 역학적 에너지 전환 물체가 내려갈 때는 위치 에너지가 운동 에너지로 전환되고, 물체가 올라갈 때는 ❷[　　　] 에너지가 ❸[　　　] 에너지로 전환된다.

❷ 운동
❸ 위치

① 위로 던져 올린 물체와 자유 낙하 하는 물체의 역학적 에너지 전환

구분	물체를 위로 던져 올릴 때	물체가 자유 낙하 할 때
역학적 에너지 전환	운동 에너지 → ❹[　　　]	위치 에너지 → ❺[　　　]

❹ 위치 에너지
❺ 운동 에너지

② 롤러코스터에서 역학적 에너지 전환

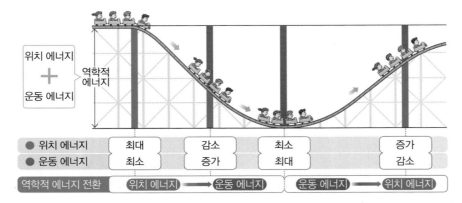

● 위치 에너지	최대	감소	최소	증가
● 운동 에너지	최소	증가	최대	감소

| 역학적 에너지 전환 | 위치 에너지 ➡ 운동 에너지 | 운동 에너지 ➡ 위치 에너지 |

개념 2 역학적 에너지 보존

1. 역학적 에너지 보존 법칙 마찰이나 공기 저항이 없을 때 운동하는 물체의 역학적 에너지는 높이에 관계없이 항상 일정하게 보존된다.

> 역학적 에너지 = 위치 에너지 + 운동 에너지 = ❻[　　　]

❻ 일정

2. 자유 낙하 하는 물체의 역학적 에너지 전환과 보존

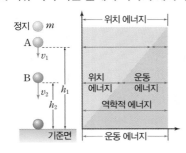

감소한 위치 에너지는 증가한 운동 에너지와 같으므로

$$\underset{9.8mh_1 - 9.8mh_2}{\text{감소한 위치 에너지}} = \underset{\frac{1}{2}mv_2^2 - \frac{1}{2}mv_1^2}{\text{증가한 운동 에너지}}$$

이 식을 정리하면 $9.8mh_1 + \frac{1}{2}mv_1^2 = 9.8mh_2 + \frac{1}{2}mv_2^2$
　　　　　　A점에서 역학적 에너지　　B점에서 역학적 에너지
높이 h_1, h_2에서 역학적 에너지는 같다. ➡ 역학적 에너지 보존

기초 확인 문제

01 표는 위로 던져 올린 물체와 자유 낙하 하는 물체에서 역학적 에너지 변화를 나타낸 것이다.

구분	위로 던져 올린 물체	자유 낙하 하는 물체
(가)	증가	감소
(나)	감소	증가

(가), (나)에 들어갈 알맞은 에너지를 쓰시오.

(가): (   )

(나): (   )

02 역학적 에너지에 대한 설명으로 옳은 것을 〈보기〉에서 모두 고르시오.

┌ 보기 ├─────────────────────
ㄱ. 자유 낙하 하는 물체의 위치 에너지는 점점 증가한다.
ㄴ. 위로 던져 올린 물체의 운동 에너지는 점점 감소한다.
ㄷ. 위치 에너지와 운동 에너지의 합이 역학적 에너지이다.
└──────────────────────────

(   )

03 다음은 위로 던져 올린 물체의 역학적 에너지에 대한 설명이다. 빈칸에 알맞은 말을 고르시오.

┌──────────────────────────
위로 던져 올린 물체의 경우 물체가 최고 높이에 도달하는 순간 물체의 ㉠(위치, 운동) 에너지가 최대이고, ㉡(위치, 운동) 에너지는 0이 된다. 따라서 최고 높이에서 물체의 역학적 에너지는 ㉢(위치, 운동) 에너지와 같다.
└──────────────────────────

[04~05] 그림은 A점에서 출발하여 운동하는 롤러코스터의 모습을 나타낸 것이다. (단, 공기 저항과 모든 마찰은 무시한다.)

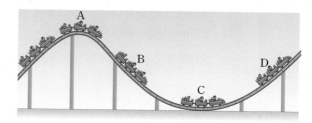

04 롤러코스터가 운동하는 동안 운동 에너지가 위치 에너지로 전환되는 구간을 〈보기〉에서 모두 고르시오.

┌ 보기 ├─────────────────────
ㄱ. AB 구간   ㄴ. BC 구간   ㄷ. CD 구간
└──────────────────────────

(   )

05 롤러코스터가 운동하는 동안 A, B, C, D 지점에서 역학적 에너지의 크기를 부등식으로 비교하시오.

(   )

06 다음은 어떤 법칙에 대한 설명인지 쓰시오.

┌──────────────────────────
마찰이나 공기 저항을 무시하면 위로 던진 물체의 증가한 위치 에너지의 양과 감소한 운동 에너지의 양은 같다. 이처럼 위치 에너지와 운동 에너지의 합은 일정하게 보존된다.
└──────────────────────────

(   )

5일 · 에너지 전환과 보존 **43**

5일 교과서 핵심 정리 ②

개념 3 에너지의 종류 – 에너지는 여러 가지 형태로 존재한다.

빛에너지	태양이나 전등에서 나오는 빛이 가지고 있는 에너지로, 식물이 광합성을 통해 각종 영양분을 만들어 내는 데 이용한다.	
소리 에너지	물체를 두드리거나 흔드는 경우 공기의 진동을 통해 이동하는 에너지로, 물체가 ❶　　　　　할 때 발생한다.	❶ 진동
화학 에너지	우리가 섭취하는 ❷　　　　　이나 석유, 석탄, 천연가스와 같은 연료 속에 저장된 에너지이다.	❷ 음식
열에너지	온도가 높은 물체에서 낮은 물체로 이동하는 에너지로, 물체의 온도나 ❸　　　　　를 변화시킬 수 있다.	❸ 상태
전기 에너지	전기 기구에 전류가 흐르면 공급되는 에너지로, 다른 형태의 에너지로 쉽게 바꾸어 사용할 수 있다.	

개념 4 에너지 전환과 보존

1. 에너지 전환　에너지는 한 종류의 에너지에서 다른 종류의 에너지로 끊임없이 전환된다.

선풍기	전기 에너지 → ❹　　　　　에너지	❹ 운동
모닥불	화학 에너지 → 빛에너지, 열에너지	
마이크	소리 에너지 → ❺　　　　　에너지	❺ 전기
광합성	빛에너지 → ❻　　　　　에너지	❻ 화학
풍력 발전	운동 에너지 → 전기 에너지	

2. 에너지 보존 법칙　에너지가 전환될 때 에너지는 새로 만들어지거나 사라지지 않고 에너지의 총합은 항상 일정하게 보존된다.

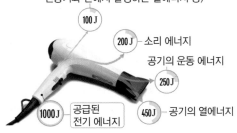

기타(전동기와 펜의 운동 에너지,
전동기와 펜에서 발생하는 열에너지 등)
100 J
200 J ― 소리 에너지
공기의 운동 에너지
250 J
1000 J 공급된 전기 에너지
450 J ― 공기의 열에너지

- 헤어드라이어에 공급된 전기 에너지가 공기의 열에너지뿐만 아니라 공기의 운동 에너지, 소리 에너지 등으로도 전환된다.
- 전환된 에너지의 총량은 헤어드라이어에 공급된 전기 에너지의 양과 ❼　　　　　.

❼ 같다

3. 역학적 에너지가 보존되지 않는 경우　공기 저항이나 마찰이 있으면 역학적 에너지의 일부가 열에너지, 소리 에너지 등으로 전환된다. 이때 역학적 에너지는 보존되지 않지만 에너지는 보존된다.

07 다음에서 설명하는 에너지의 종류를 쓰시오.

> 자동차 연료나 음식물 속의 에너지와 같이 화학 결합을 통하여 물질 속에 저장되어 있는 에너지이다.

(   )

08 〈보기〉는 여러 가지 에너지의 종류를 나타낸 것이다.

> 보기
> ㄱ. 빛에너지   ㄴ. 열에너지
> ㄷ. 소리 에너지   ㄹ. 전기 에너지

다음은 어떤 에너지에 대한 설명인지 〈보기〉에서 골라 기호를 쓰시오.

(1) 온도가 다른 물체 사이에서 이동하는 에너지로, 물체의 온도나 상태를 변화시킨다. (   )

(2) 소리가 가지는 에너지로, 기체뿐만 아니라 고체, 액체를 통해서도 전달된다. (   )

(3) 흐르는 전류에 의해 전달되는 에너지로, 다양하게 전환하여 우리 생활에서 편리하게 이용된다.
(   )

(4) 식물의 광합성에 이용되며, 매질이 없는 진공에서도 전달된다. (   )

09 다음에서 일어나는 에너지 전환으로 옳은 것을 선으로 연결하시오.

(1) 식물의   •   • ㉠ 전기 에너지 →
     광합성   빛에너지

(2) 전구의 빛   •   • ㉡ 화학 에너지 →
                                        열에너지

(3) 천연가스의 •   • ㉢ 빛에너지 →
     연소   화학 에너지

10 다음은 헤어드라이어에서 일어나는 에너지 전환과 보존에 대한 설명이다. 빈칸에 알맞은 말을 쓰시오.

> 헤어드라이어에 공급된 전기 에너지는 ㉠(   )뿐만 아니라 운동 에너지, 소리 에너지 등 여러 가지 종류의 에너지로 전환된다. 이때 전환된 에너지의 총량은 헤어드라이어에 공급된 ㉡(   )의 양과 같다.

11 다음은 어떤 법칙에 대한 설명인지 쓰시오.

> 에너지가 전환될 때 에너지는 새로 만들어지거나 사라지지 않고 에너지의 총합은 항상 일정하게 보존된다.

(   )

대표 예제 1   역학적 에너지 전환

역학적 에너지에 대한 설명으로 옳은 것을 〈보기〉에서 모두 고르시오.

┌─ 보기 ┐
ㄱ. 물체가 위로 올라갈 때 운동 에너지가 점점 감소한다.
ㄴ. 역학적 에너지는 위치 에너지와 운동 에너지의 차이다.
ㄷ. 물체가 자유 낙하 할 때 운동 에너지가 위치 에너지로 전환된다.
└────────┘

(   )

개념 가이드

물체가 위로 올라갈 때는 [   ] 에너지가 [   ] 에너지로 전환된다.   📖 운동, 위치

대표 예제 2   역학적 에너지 전환

그림은 레일을 따라 운동하는 롤러코스터의 모습을 나타낸 것이다.

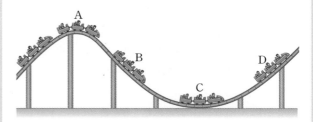

롤러코스터가 A에서 D까지 운동하는 동안 운동 에너지가 가장 큰 지점을 쓰시오.

(   )

개념 가이드

롤러코스터가 아래에서 위로 운동할 때 [   ] 에너지가 [   ] 에너지로 전환된다.   📖 운동, 위치

대표 예제 3   역학적 에너지 보존

역학적 에너지에 대한 설명으로 옳은 것을 〈보기〉에서 모두 고른 것은?

┌─ 보기 ┐
ㄱ. 공기 저항이나 마찰이 없을 때 역학적 에너지는 일정하게 보존된다.
ㄴ. 물체가 자유 낙하 할 때 감소한 위치 에너지 만큼 운동 에너지가 증가한다.
ㄷ. 모든 마찰을 무시할 때 위로 던져 올린 물체의 증가한 위치 에너지는 감소한 운동 에너지보다 크다.
└────────┘

① ㄱ   ② ㄷ   ③ ㄱ, ㄴ
④ ㄴ, ㄷ   ⑤ ㄱ, ㄴ, ㄷ

개념 가이드

위로 던져 올린 물체의 경우 [   ] 에너지가 [   ] 에너지로 전환된다.   📖 운동, 위치

대표 예제 4   역학적 에너지 보존

그림은 마찰이 없는 반원형 그릇의 A점에 가만히 놓은 구슬이 E점까지 운동하는 것을 나타낸 것이다.

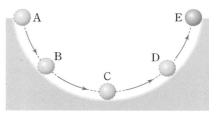

구슬의 역학적 에너지가 가장 큰 지점은?

① B점   ② C점   ③ D점
④ E점   ⑤ 모든 지점에서 같다.

개념 가이드

공기 저항이나 [   ]이 없다면 운동하는 물체의 역학적 에너지는 일정하게 [   ]된다.   📖 마찰, 보존

대표 예제 **5** 에너지의 종류

다음 설명에 해당하는 에너지는?

> 집 안을 따뜻하게 하기 위해 켜 놓은 난로에서 나오는 에너지이다. 이 에너지는 온도가 다른 물체 사이에서 이동하는 에너지로, 물체의 온도나 상태를 변화시킨다. 난방을 하거나 음식을 익히는 데 주로 사용된다.

① 열에너지　　　② 화학 에너지

③ 소리 에너지　　④ 전기 에너지

⑤ 역학적 에너지

개념 가이드

온도가 높은 물체에서 낮은 물체로 이동하는 ☐☐는 물체의 ☐☐나 상태를 변화시킬 수 있다.　**답** 열에너지, 온도

대표 예제 **6** 에너지의 종류

다음 설명에 해당하는 에너지는?

> 거실을 밝히는 전등에서 나오는 에너지이다. 우리가 사물을 볼 수 있는 것도 이 에너지가 있기 때문이다. 이 에너지는 매질이 없는 진공에서도 전달되고 전달 속력도 매우 빠르다.

① 열에너지　　　② 빛에너지

③ 전기 에너지　　④ 소리 에너지

⑤ 화학 에너지

개념 가이드

태양이나 전등에서 나오는 ☐☐는 식물이 ☐☐을 통해 각종 영양분을 만들 때 이용한다.　**답** 빛에너지, 광합성

대표 예제 **7** 에너지 전환과 보존

여러 상황에서 일어나는 에너지 전환을 나타낸 것으로 옳지 않은 것은?

① 손뼉을 친다: 역학적 에너지 → 화학 에너지

② 손전등을 켠다: 전기 에너지 → 빛에너지

③ 모닥불을 피운다: 화학 에너지 → 빛에너지, 열에너지

④ 기타를 연주한다: 역학적 에너지 → 소리 에너지

⑤ 마이크로 노래를 부른다: 소리 에너지 → 전기 에너지

개념 가이드

선풍기에서는 ☐☐에너지가 운동 에너지로 전환되고, 풍력 발전에서는 운동 에너지가 ☐☐에너지로 전환된다.　**답** 전기, 전기

대표 예제 **8** 에너지 전환과 보존

에너지 전환과 보존에 대한 설명으로 옳은 것을 〈보기〉에서 모두 고른 것은?

> 보기
> ㄱ. 자연계의 에너지는 항상 보존된다.
> ㄴ. 에너지는 다른 형태의 에너지로 전환된다.
> ㄷ. 에너지는 새로 생기거나 없어지지 않는다.
> ㄹ. 운동 에너지와 위치 에너지는 항상 보존된다.

① ㄱ, ㄴ　　② ㄱ, ㄷ　　③ ㄴ, ㄹ

④ ㄱ, ㄴ, ㄷ　　⑤ ㄴ, ㄷ, ㄹ

개념 가이드

마찰이나 공기 저항이 있으면 역학적 에너지의 일부는 ☐☐로 전환된다. 그러나 에너지의 ☐☐은 보존된다.　**답** 열에너지, 총합

01 다음은 한 변의 길이가 서로 다른 세 개의 정육면체 표면적과 부피의 관계를 나타낸 것이다.

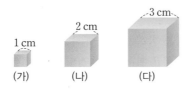

구분	(가)	(나)	(다)
표면적(cm^2)	6	24	54
부피(cm^3)	1	8	27

정육면체를 세포라고 가정할 때 이에 대한 설명으로 옳은 것을 〈보기〉에서 모두 고른 것은?

보기
ㄱ. 세포가 클수록 물질 교환이 잘 일어난다.
ㄴ. 세포가 커질수록 부피에 대한 표면적의 비율이 감소한다.
ㄷ. 세포는 물질 교환을 효율적으로 하기 위해서 일정 크기 이상이 되면 분열한다.

① ㄱ   ② ㄴ   ③ ㄷ
④ ㄱ, ㄴ   ⑤ ㄴ, ㄷ

02 염색체에 대한 설명으로 옳지 <u>않은</u> 것은?

① 사람의 염색체 수는 46개이다.
② 유전 정보를 담아 전달하는 역할을 한다.
③ 생물의 종에 따라 염색체의 수와 모양이 다르다.
④ 같은 생물이라도 기관에 따라 염색체의 수가 다르다.
⑤ 모양과 크기가 같은 염색체의 쌍을 상동 염색체라고 한다.

03 그림은 양파의 체세포 분열 과정을 관찰한 결과를 나타낸 것이다.

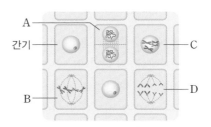

세포 분열 과정의 순서를 옳게 나열한 것은?

① A → B → C → D   ② B → C → D → A
③ B → D → C → A   ④ C → B → D → A
⑤ C → D → B → A

04 그림은 세포 분열 관찰 과정의 한 단계를 나타낸 것이다. 이 과정을 거치는 까닭으로 옳은 것은?

① 조직을 압착하기 위해서
② 세포를 고정시키기 위해서
③ 조직을 연하게 하기 위해서
④ 세포나 조직을 분리하기 위해서
⑤ 핵과 염색체를 염색하기 위해서

05 생식세포 분열이 일어나는 곳은?

① 뇌   ② 정소   ③ 심장
④ 방광   ⑤ 다리 근육

06 다음은 어떤 세포의 분열 과정을 나타낸 것이다.

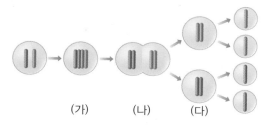

(가)   (나)   (다)

이에 대한 설명으로 옳지 <u>않은</u> 것은?

① (가) 단계에서는 상동 염색체가 결합한다.

② (나) 단계에서 상동 염색체가 분리된다.

③ (나) → (다)로 되면 염색체 수는 반으로 줄어든다.

④ (다) 단계 이후에 염색체 수가 다시 반으로 줄어든다.

⑤ 생물체가 세대를 거듭해도 염색체 수가 일정하게 유지되게 한다.

07 그림은 수정란의 초기 발생 과정을 나타낸 것이다.

수정란   2세포기   4세포기   8세포기   포배

이에 대한 설명으로 옳은 것을 〈보기〉에서 모두 고른 것은?

보기
ㄱ. 포배 상태에서 착상이 일어난다.
ㄴ. 생식세포 분열 과정으로, 세포 하나의 크기가 점점 작아진다.
ㄷ. 수정란이 분열하여 세포 수가 늘어나도 세포 하나당 염색체 수는 모두 같다.

① ㄱ   ② ㄷ   ③ ㄱ, ㄴ
④ ㄱ, ㄷ   ⑤ ㄴ, ㄷ

08 순종인 것을 모두 고르면? (정답 2개)

① Rr   ② Yy   ③ rr
④ RRyy   ⑤ RrYy

09 다음과 같은 완두 교배 실험 결과 그 자손의 표현형에서 우성과 열성이 1 : 1로 나타나는 것은? (단, 황색 유전자 Y는 녹색 유전자 y에 대해 우성이다.)

① yy × yy   ② Yy × yy   ③ Yy × Yy
④ YY × yy   ⑤ YY × Yy

10 그림과 같이 순종인 황색 완두(RR)와 녹색(rr) 완두를 교배하여 잡종 1대를 얻었다.

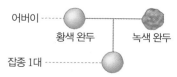

어버이 ┈┈
        황색 완두   녹색 완두

잡종 1대 ┈┈┈

잡종 1대를 자가 수분한 결과 얻어지는 잡종 2대의 완두에 대한 설명으로 옳은 것은?

① 모두 순종이다.

② 모두 황색이다.

③ 우성 : 열성의 비가 3 : 1이다.

④ 얻어진 황색 완두 중 $\frac{1}{3}$이 잡종이다.

⑤ 황색 완두와 녹색 완두가 1 : 1의 비율로 나온다.

[01~02] 그림은 순종의 둥글고 황색인 완두와 순종의 주름지고 녹색인 완두를 교배하여 얻은 잡종 1대를 자가 수분하여 잡종 2대를 얻는 과정을 나타낸 것이다.

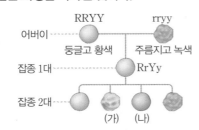

01 (가) : (나)의 비로 옳은 것은?

① 1:1 　　② 1:3 　　③ 3:1

④ 1:9 　　⑤ 9:1

02 잡종 2대에서 200개의 완두를 얻었을 때 황색인 완두는 이론상 몇 개인가?

① 0개 　　② 50개 　　③ 100개

④ 150개 　　⑤ 200개

03 다음 설명에 해당하는 사람의 유전 연구 방법은?

> 유전과 환경이 특정 형질에 미치는 영향을 알아보는 데 가장 적합한 방법이다.

① 교배 조사　　② 통계 조사　　③ 가계도 조사

④ 쌍둥이 연구　　⑤ 유전자 연구

04 그림은 어떤 집안의 혀 말기 유전에 관한 가계도를 나타낸 것이다.

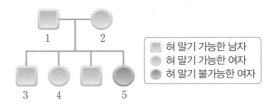

■ 혀 말기 가능한 남자
● 혀 말기 가능한 여자
● 혀 말기 불가능한 여자

우성 대립유전자를 R, 열성 대립유전자를 r라고 할 때 각 사람의 유전자형을 옳게 나타낸 것은?

① 1 ― rr 　　② 2 ― Rr 　　③ 3 ― Rr

④ 4 ― RR 　　⑤ 5 ― RR

05 그림은 어떤 집안의 ABO식 혈액형 가계도이다.

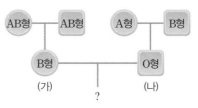

(가)와 (나) 사이에서 나올 수 있는 혈액형을 모두 나타낸 것은?

① B형

② O형

③ B형, O형

④ A형, B형, O형

⑤ A형, B형, O형, AB형

06 성별에 따라 적록 색맹이 나타나는 빈도가 다른 까닭을 옳게 설명한 것은?

① 우성 유전을 하기 때문이다.

② 중간 유전을 하기 때문이다.

③ 유전자가 Y 염색체에 있기 때문이다.

④ 유전자가 X 염색체에 있기 때문이다.

⑤ 유전자가 상염색체에 있기 때문이다.

07 그림은 잔디 썰매를 타고 경사면을 내려오고 있는 학생들의 모습을 나타낸 것이다.

이에 대한 설명으로 옳은 것을 〈보기〉에서 모두 고른 것은?

┌─ 보기 ┐
ㄱ. 운동 에너지가 증가한다.
ㄴ. 위치 에너지가 감소한다.
ㄷ. 내려오는 동안 속력은 일정하다.
ㄹ. 운동 에너지가 위치 에너지로 전환된다.

① ㄱ, ㄴ   ② ㄱ, ㄷ   ③ ㄱ, ㄹ
④ ㄴ, ㄷ   ⑤ ㄷ, ㄹ

08 그림은 위로 던져 올린 공이 운동하는 모습을 나타낸 것이다. 이때 크기가 나머지와 다른 하나는? (단, 공기 저항이나 마찰은 무시한다.)

E ⦿ 정지
D ⦿
C ⦿   ↑ 운동 방향
B ⦿
A ⦿   지면

① A 지점에서의 운동 에너지

② B 지점에서의 역학적 에너지

③ C 지점에서의 운동 에너지

④ D 지점에서의 역학적 에너지

⑤ E 지점에서의 위치 에너지

09 다음 설명에 해당하는 에너지는?

┌────────────────────────────┐
│ • 다양한 에너지로부터 전환하여 얻을 수 있다. │
│ • 다양한 형태의 에너지로 쉽게 전환하여 사용할 │
│   수 있다. │
│ • 화학 에너지의 형태로 저장하여 때와 장소에 제 │
│   약을 받지 않고 사용할 수도 있다. │
└────────────────────────────┘

① 빛에너지   ② 열에너지

③ 전기 에너지   ④ 화학 에너지

⑤ 역학적 에너지

10 에너지 전환 과정으로 옳지 않은 것은?

① 전구: 전기 에너지 → 빛에너지

② 광합성: 화학 에너지 → 빛에너지

③ 배터리: 화학 에너지 → 전기 에너지

④ 오디오: 전기 에너지 → 소리 에너지

⑤ 수력 발전: 역학적 에너지 → 전기 에너지

01 그림은 어떤 생물의 몸에서 일어나는 두 종류의 세포 분열을 나타낸 것이다.

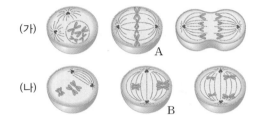

(1) (가)와 (나) 세포 분열의 이름을 쓰시오.

(가): (   )

(나): (   )

(2) A와 B 단계의 차이로 나타나는 세포 분열 결과를 다음 단어를 포함하여 서술하시오.

> 모세포, 딸세포, 염색체 수,
> 상동 염색체, 염색 분체

_____

_____

02 양파의 뿌리 끝을 이용하여 체세포 분열을 관찰하고자 할 때 먼저 그림과 같이 처리해 준다. 이와 같은 과정을 통해 얻을 수 있는 효과를 서술하시오.

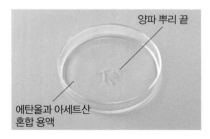

_____

_____

03 그림은 수정 후 착상까지의 과정을 나타낸 것이다.

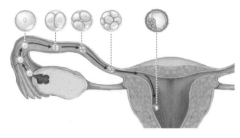

(1) 난자가 정자와 수정된 후 착상될 때까지 일어나는 세포 분열을 무엇이라고 하는지 쓰시오.

(   )

(2) (1)의 세포 분열의 특징을 <u>두 가지</u> 쓰시오.

_____

_____

04 멘델이 유전 연구에 이용한 완두가 유전 연구 재료로 적합한 점을 <u>세 가지</u> 쓰시오.

_____

_____

05 그림과 같이 순종의 둥글고 황색인 완두와 주름지고 녹색인 완두를 교배하여 잡종 1대를 얻고, 이를 자가 수분시켜 잡종 2대를 얻었다.

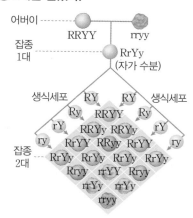

(1) 잡종 2대에서 모양과 색깔 모두 순종인 완두의 비율은 몇 %인지 계산식과 함께 구하시오.

_____

(2) 잡종 2대에서 1200개의 완두를 얻었을 때 모양과 색깔 모두 순종인 완두의 개수를 계산식과 함께 구하시오.

_____

06 그림은 어떤 집안의 쌍꺼풀 유전 가계도를 나타낸 것이다. 부모의 쌍꺼풀 유전자형을 쓰고, 그렇게 생각하는 까닭을 서술하시오. (단, 우성 대립유전자를 A, 열성 대립유전자를 a로 표시한다.)

쌍꺼풀 남자
쌍꺼풀 여자
외꺼풀 여자

_____

_____

07 그림과 같이 롤러코스터가 운동하고 있다.

롤러코스터가 A에서 B까지 운동할 때 에너지 변화를 다음 주어진 단어를 모두 포함하여 서술하시오. (단, 공기 저항과 모든 마찰은 무시한다.)

위치 에너지, 운동 에너지, 역학적 에너지,
증가, 감소, 전환, 보존

_____

_____

08 그림과 같이 자동차는 연료의 화학 에너지를 여러 가지 에너지로 전환하여 이용한다.

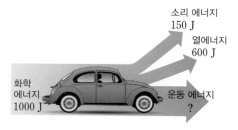

소리 에너지
150 J

열에너지
600 J

화학
에너지
1000 J

운동 에너지
?

(1) 자동차에서 전환된 운동 에너지는 몇 J인지 구하시오.

(   )

(2) (1)과 같이 답한 까닭을 서술하시오.

_____

창의 융합

01 그림 (가)는 사람의 생식과 초기 발생 과정을 나타낸 것이고, (나)는 체세포 분열, (다)는 생식세포 분열을 간단히 나타낸 것이다. (단, 그림에서는 1쌍의 상동 염색체만을 간략하게 나타내었다).

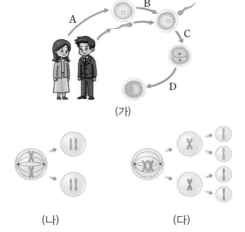

(가)

(나)　　　　(다)

(1) 그림 (가)에서 ㉠체세포 분열이 일어나는 모든 과정과, 체세포 분열 결과 생성된 ㉡딸세포의 염색체 수를 쓰시오.

㉠: (　　　　　　　　　)

㉡: (　　　　　　　　　)

(2) 그림 (가)에서 ㉠생식세포 분열이 일어나는 모든 과정과, 생식세포 분열 결과 생성된 ㉡딸세포의 염색체 수를 쓰시오.

㉠: (　　　　　　　　　)

㉡: (　　　　　　　　　)

(3) 생식세포 분열이 필요한 까닭을 서술하시오.

_____

_____

코딩

02 그림은 순종의 둥글고 황색인 완두와 순종의 주름지고 녹색인 완두를 교배하여 얻은 잡종 1대를 자가 수분하여 잡종 2대를 얻는 과정을 나타낸 것이다.

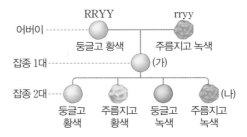

(가)와 (나)를 교배시켰을 때 자손에게서 나오는 완두의 비율을 다음 단계에 따라 구하시오.

(1) (가)와 (나)의 유전자형을 쓰시오.

(가): (　　　　　　　　　)

(나): (　　　　　　　　　)

(2) (가)와 (나)에서 만들어지는 생식세포의 종류를 쓰시오.

(가): (　　　　　　　　　)

(나): (　　　　　　　　　)

(3) (가)와 (나)의 생식세포의 결합을 통해 나올 수 있는 자손의 유전자형을 쓰시오.

(　　　　　　　　　　　)

(4) (가)와 (나)를 교배시켰을 때 자손에게서 나올 수 있는 표현형의 비율을 구하는 과정을 (1)~(3)을 이용하여 서술하시오.

_____

_____

_____

03 다음은 두 사람의 대화를 나타낸 것이다.

(1) 찬호 가족의 적록 색맹 가계도를 그리시오.

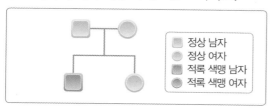

정상 남자
정상 여자
적록 색맹 남자
적록 색맹 여자

(2) 찬호 가족의 적록 색맹 유전자형을 각각 쓰고, 그렇게 생각한 까닭을 함께 서술하시오.

㉠찬호: _____

_____

㉡찬호 아버지: _____

_____

㉢찬호 어머니: _____

_____

㉣찬호 여동생: _____

_____

04 그림은 나뭇잎에서 물방울이 떨어지는 모습을 나타낸 것이다.

(1) A, B 중 운동 에너지가 더 큰 것을 고르시오.

(   )

(2) (1)과 같이 답한 까닭을 역학적 에너지 전환을 이용하여 서술하시오.

_____

_____

05 그림은 전기 에너지를 1000 J 공급했을 때 헤어드라이어에서의 에너지 전환을 나타낸 것이다.

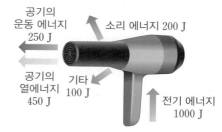

공기의 운동 에너지 250 J

소리 에너지 200 J

공기의 열에너지 450 J

기타 100 J

전기 에너지 1000 J

그림의 자료를 이용하여 헤어드라이어에서의 에너지 보존을 서술하시오.

_____

_____

7일 학교시험 기본 테스트 1회

01 그림은 사람의 염색체를 나타낸 것이다.

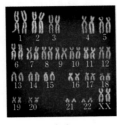 

(가)   (나)

이에 대한 설명으로 옳지 <u>않은</u> 것은?

① 1∼22번은 상염색체이다.

② (가)는 여자의 염색체이다.

③ (나)의 상동 염색체는 22쌍이다.

④ 사람의 염색체는 남녀 모두 23쌍이다.

⑤ (가)와 (나) 모두 상염색체는 44개, 성염색체는 2
  개이다.

02 그림은 체세포 분열을 순서 없이 나타낸 것이다.

(가)   (나)   (다)   (라)   (마)

**염색체의 수와 모양을 가장 잘 관찰할 수 있는 시기의
기호와 이름을 옳게 짝 지은 것은?**

① 전기, (가)   ② 전기, (다)

③ 중기, (가)   ④ 중기, (마)

⑤ 후기, (가)

03 그림은 어떤 생물의 세포 분열 과정 일부를 나타낸 것
이다.

이 생물의 생식세포 속에 들어 있는 염색체 수는?

① 1개   ② 2개   ③ 4개

④ 6개   ⑤ 8개

04 그림은 체세포 분열을 관찰하기 위한 실험 과정을 순서
없이 나타낸 것이다.

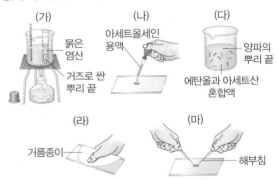

이에 대한 설명으로 옳지 <u>않은</u> 것은?

① (가)는 조직을 연하게 만드는 과정이다.

② (나) 과정을 거치지 않으면 핵과 염색체를 뚜렷
  하게 관찰하기 어렵다.

③ (다)는 세포 분열이 잘 일어나도록 하는 과정이다.

④ (다) → (가) → (나) → (마) → (라) 순으로 진행
  한다.

⑤ 양파의 뿌리 끝을 사용하는 이유는 생장점이 있
  어 체세포 분열이 활발하게 일어나기 때문이다.

05 그림은 사람의 생식세포를 나타낸 것이다.

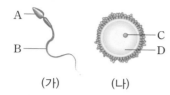

(가)   (나)

이에 대한 설명으로 옳은 것을 〈보기〉에서 모두 고른 것은?

┌ 보기 ┐
ㄱ. B와 C에는 유전 물질이 들어 있다.
ㄴ. (가)와 (나)의 염색체 수는 23개이다.
ㄷ. (가)는 A가 있어 난자를 향해 움직일 수 있다.
ㄹ. (나)는 수정 후 발생 과정에 필요한 양분을 D에 저장하고 있어 보통 세포보다 크기가 훨씬 크다.

① ㄱ, ㄴ   ② ㄴ, ㄷ   ③ ㄴ, ㄹ
④ ㄱ, ㄴ, ㄹ   ⑤ ㄴ, ㄷ, ㄹ

06 태아가 출생하기까지의 과정을 순서대로 옳게 나열한 것은?

① 생식세포 형성 → 수정 → 착상 → 배란 → 출산
② 생식세포 형성 → 수정 → 배란 → 착상 → 출산
③ 생식세포 형성 → 배란 → 착상 → 수정 → 출산
④ 생식세포 형성 → 배란 → 수정 → 착상 → 출산
⑤ 생식세포 형성 → 착상 → 배란 → 수정 → 출산

07 (가)와 (나)에 적용되는 멘델의 원리나 법칙을 쓰시오.

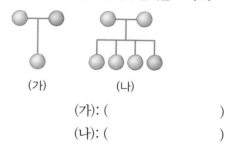

(가)   (나)

(가): (   )
(나): (   )

[08~09] 그림과 같이 순종의 황색 완두(YY)와 녹색 완두(yy)를 교배하여 잡종 1대를 얻고, 이를 자가 수분하여 잡종 2대를 얻었다.

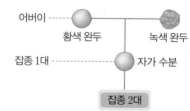

어버이 ---- 황색 완두   녹색 완두
잡종 1대 ----   자가 수분
잡종 2대

08 800개의 잡종 2대를 얻었다면, 이 중 순종의 황색 완두는 이론상 몇 개인가?

① 0개   ② 200개   ③ 400개
④ 600개   ⑤ 800개

09 잡종 2대에서 순종 : 잡종의 비는?

① 1:1   ② 1:2   ③ 2:1
④ 1:3   ⑤ 3:1

10 그림은 순종의 둥글고 황색 완두와 주름지고 녹색 완두를 교배하여 얻은 잡종 1대를 자가 수분시켜 잡종 2대를 얻는 과정을 나타낸 것이다.

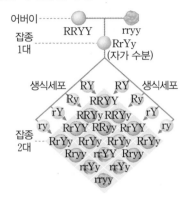

잡종 2대에서 320개의 완두를 얻었다면, 이 중 잡종 1대와 유전자형이 같은 것은 이론상 몇 개인가?

① 20개   ② 60개   ③ 80개

④ 120개   ⑤ 180개

11 사람의 유전 형질을 연구할 때 사용하는 방법으로 옳지 <u>않은</u> 것은?

① 유전자 분석을 한다.

② 쌍둥이의 형질을 조사한다.

③ 한 집안의 가계도를 조사한다.

④ 특정 형질에 대한 통계 조사를 한다.

⑤ 원하는 형질을 갖는 사람끼리 결혼시킨다.

12 자녀의 ABO식 혈액형이 A형, B형, O형, AB형의 네가지 혈액형이 모두 나올 수 있는 부모의 혈액형을 쓰고, 그렇게 생각한 까닭을 함께 서술하시오.

_____

_____

13 그림은 어떤 집안의 혀 말기 가계도이다.

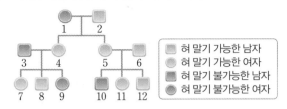

이 집안에서 유전자형이 Rr인 사람은 모두 몇 명인가? (단, R는 혀 말기 가능 대립유전자, r는 혀 말기 불가능 대립유전자를 나타낸다.)

① 1명   ② 2명   ③ 3명

④ 4명   ⑤ 5명

14 부모의 ABO식 혈액형이 O형과 AB형일 때 자녀에게서 나올 수 있는 혈액형을 모두 쓰시오.

(   )

15 그림은 어떤 집안의 적록 색맹 가계도이다.

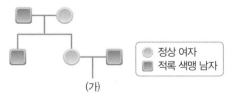

(가)가 적록 색맹일 확률은 몇 %인가?

① 0 %   ② 25 %   ③ 50 %

④ 75 %   ⑤ 100 %

16 그림은 바이킹이 운동하는 모습을 나타낸 것이다. 바이킹이 위로 올라갈 때 (가) 증가하는 에너지와 (나) 감소하는 에너지를 옳게 짝 지은 것은?

	(가)	(나)
①	위치 에너지	운동 에너지
②	위치 에너지	전기 에너지
③	운동 에너지	위치 에너지
④	운동 에너지	전기 에너지
⑤	전기 에너지	운동 에너지

17 그림과 같이 질량이 3 kg인 물체가 A점에서 B점으로 낙하할 때, A점에서 운동 에너지는 120 J이고, B점에서 운동 에너지는 267 J이다. A점과 B점 사이의 높이차 h는? (단, 공기 저항과 모든 마찰은 무시한다.)

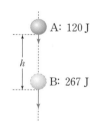

A: 120 J

h

B: 267 J

① 2 m   ② 2.5 m   ③ 3 m
④ 5 m   ⑤ 10 m

18 다음 물질들이 공통적으로 가지고 있는 에너지는?

석탄	석유	전지	음식물

① 열에너지   ② 소리 에너지
③ 전기 에너지   ④ 화학 에너지
⑤ 역학적 에너지

19 그림과 같이 주전자에 물을 넣고 가열하였더니 물이 수증기로 변하면서 주전자 뚜껑이 들썩거렸다. 이 과정에서의 에너지 전환을 옳게 나타낸 것은?

① 열에너지 → 운동 에너지
② 열에너지 → 화학 에너지
③ 열에너지 → 소리 에너지
④ 전기 에너지 → 화학 에너지
⑤ 전기 에너지 → 전기 에너지

20 그림은 전지를 사용하여 작동되는 장난감 자동차를 나타낸 것이다. 다음은 장난감 자동차가 작동될 때 일어나는 에너지 전환을 나타낸 것이다. 빈칸에 들어갈 에너지의 종류를 옳게 짝 지은 것은?

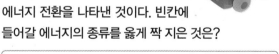

(㉠) 에너지 → (㉡) 에너지 → (㉢) 에너지

	㉠	㉡	㉢
①	운동 에너지	전기 에너지	화학 에너지
②	전기 에너지	운동 에너지	화학 에너지
③	전기 에너지	화학 에너지	운동 에너지
④	화학 에너지	운동 에너지	전기 에너지
⑤	화학 에너지	전기 에너지	운동 에너지

01 그림은 염색체의 구성을 나타낸 것이다.

이에 대한 설명으로 옳지 <u>않은</u> 것은?

① (가)는 상동 염색체이다.

② (가)는 서로 유전 정보가 같다.

③ (나)는 세포 분열 시기에만 관찰된다.

④ A는 단백질이다.

⑤ B는 DNA로 수많은 유전자가 들어 있다.

02 그림은 어떤 동물의 체세포 분열 과정 중 특정 단계에 있는 세포를 나타낸 것이다. 이에 대한 설명으로 옳은 것을 〈보기〉에서 모두 고른 것은?

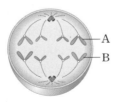

┌ 보기 ┐
ㄱ. 핵분열 말기의 세포이다.
ㄴ. A와 B의 유전 정보는 동일하다.
ㄷ. 이 세포가 분열을 완료하면 염색체 수가 모세포의 절반인 딸세포가 생긴다.
└─────┘

① ㄱ   ② ㄴ   ③ ㄱ, ㄴ

④ ㄱ, ㄷ   ⑤ ㄴ, ㄷ

03 그림은 식물의 체세포 분열 과정을 순서 없이 나타낸 것이다.

　(가)　　(나)　　(다)　　(라)　　(마)

염색체가 처음으로 관찰되는 시기는?

① (가)   ② (나)   ③ (다)

④ (라)   ⑤ (마)

04 체세포 분열과 생식세포 분열을 비교한 것으로 옳지 <u>않은</u> 것은?

① 생식세포 분열은 연속 2회 분열한다.

② 유전 물질의 복제는 모두 1회만 일어난다.

③ 체세포 분열 결과 2개의 딸세포가 형성된다.

④ 체세포 분열과 생식세포 분열에서 모두 2가 염색체가 관찰된다.

⑤ 생식세포 분열 결과 형성된 딸세포의 염색체 수는 모세포의 절반이다.

05 그림은 어떤 생물의 몸에서 일어나는 세포 분열 중 한 단계를 나타낸 것이다. 이 세포 분열은 체세포 분열과 생식세포 분열 과정 중 어느 것에 해당하는지 그 까닭과 함께 서술하시오.

_____

_____

06 사람의 발생에 대한 설명으로 옳지 <u>않은</u> 것은?

① 수정은 수란관에서 일어난다.

② 수정란이 착상되면 임신이 되었다고 한다.

③ 수정란은 포배 상태에서 자궁 안쪽 벽에 착상한다.

④ 수정 8주 후 사람의 모습을 갖추기 시작한 상태를 배아라고 한다.

⑤ 착상 이후 태반이 만들어지며, 태반을 통해 태아와 모체 사이에 물질 교환이 일어난다.

07 태반을 통해서 모체로부터 태아로 전달되는 물질을 〈보기〉에서 모두 고른 것은?

┌ 보기 ┐
ㄱ. 산소   ㄴ. 노폐물   ㄷ. 영양소
ㄹ. 적혈구   ㅁ. 이산화 탄소

① ㄱ, ㄷ   ② ㄱ, ㅁ   ③ ㄴ, ㄷ
④ ㄷ, ㄹ   ⑤ ㄹ, ㅁ

08 그림은 완두의 꽃에서 꽃가루를 수분시키는 과정을 나타낸 것이다. (가)와 (나)를 각각 무엇이라고 하는지 쓰시오.

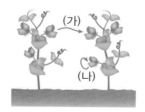

(가): (   )

(나): (   )

09 그림과 같이 순종의 둥근 완두와 주름진 완두를 교배하여 잡종 1대를 얻었다.

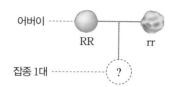

어버이 ────
RR   rr

잡종 1대 ┄┄┄┄┄ ?

잡종 1대의 유전자형을 옳게 나타낸 것은?

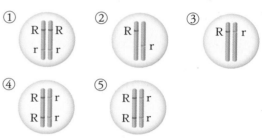

10 그림과 같이 순종의 키 큰 완두(TT)와 키 작은 완두(tt)를 교배시켜 얻은 잡종 1대의 완두를 키 작은 완두와 다시 교배시켰을 때 나오는 자손의 비는? (단, 큰 키가 작은 키에 대해 우성이다.)

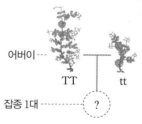

어버이 ────
TT   tt

잡종 1대 ┄┄┄┄┄ ?

① 큰 키 : 작은 키 = 1 : 1

② 큰 키 : 작은 키 = 3 : 1

③ 큰 키 : 작은 키 = 1 : 3

④ 큰 키 : 중간 키 = 3 : 1

⑤ 중간 키 : 작은 키 = 3 : 1

11 그림과 같이 둥글고 황색인 완두와 주름지고 녹색인 완두를 교배하여 잡종 1대를 얻고 이를 자가 수분시켜 잡종 2대를 얻었다.

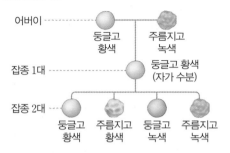

어버이 ──── 둥글고 황색 / 주름지고 녹색

잡종 1대 ──── 둥글고 황색 (자가 수분)

잡종 2대 ──── 둥글고 황색 / 주름지고 황색 / 둥글고 녹색 / 주름지고 녹색

잡종 2대에서 480개의 완두를 얻었을 때 나올 수 있는 둥근 완두의 이론적인 개수를 독립의 법칙을 이용하여 구하는 방법을 서술하시오.

_____

_____

12 그림은 쌍둥이가 태어나는 과정을 나타낸 것이다.

이에 대한 설명으로 옳은 것은?

① 2란성 쌍둥이이다.
② 두 개체의 성별은 다를 수 있다.
③ 두 개체의 유전자 구성이 다르다.
④ 유전과 환경과의 관계를 알아볼 수 있다.
⑤ 두 개의 난자에 각각 정자가 들어가서 생성된다.

13 그림은 어떤 집안의 혀 말기 가계도를 나타낸 것이다.

□ 혀 말기 가능한 남자
○ 혀 말기 가능한 여자
■ 혀 말기 불가능한 남자
● 혀 말기 불가능한 여자

혀 말기 가능 대립유전자를 R, 혀 말기 불가능 대립유전자를 r라고 할 때, A의 유전자형을 쓰시오.

(   )

14 부모의 ABO식 혈액형이 다음과 같은 부모에서 나올 수 있는 자녀의 모든 혈액형을 옳게 나타낸 것은?

① A형 × O형 → A형
② B형 × B형 → B형
③ A형 × B형 → A형, B형
④ AB형 × O형 → A형, B형
⑤ AB형 × A형 → A형, B형, O형, AB형

15 그림은 어떤 집안의 적록 색맹 가계도를 나타낸 것이다. (가)가 적록 색맹인 아들일 확률은 몇 %인가?

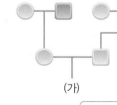

(가)

□ 정상 남자
○ 정상 여자
■ 색맹 남자

① 0 %
② 25 %
③ 50 %
④ 75 %
⑤ 100 %

16 물체를 위로 던져 올렸을 때 높이에 따른 역학적 에너지의 변화를 옳게 나타낸 것은? (단, 공기 저항과 모든 마찰은 무시한다.)

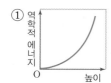 ① 역학적 에너지 / 높이

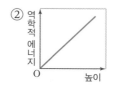 ② 역학적 에너지 / 높이

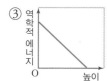 ③ 역학적 에너지 / 높이

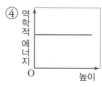 ④ 역학적 에너지 / 높이

⑤ 역학적 에너지 / 높이

17 그림은 위로 던져 올린 공이 운동하는 모습을 일정한 시간 간격으로 나타낸 것이다. 이에 대한 설명으로 옳은 것을 모두 고르면? (정답 2개)

① 운동 에너지는 던지는 순간이 가장 크다.
② 공이 위로 올라갈수록 속력은 점점 빨라진다.
③ 공이 위로 올라갈수록 위치 에너지가 감소한다.
④ 공이 위로 올라갈수록 운동 에너지가 증가한다.
⑤ 공이 위로 올라갈수록 운동 에너지가 위치 에너지로 전환된다.

18 (가), (나)에서 설명하는 에너지의 종류를 옳게 짝 지은 것은?

- (가) 물체의 진동에 의해 발생하며 공기의 진동으로 전달된다.
- (나) 물체 사이에서 이동하여 물체의 온도나 상태를 변하게 한다.

　(가)　　(나)
① 열에너지　빛에너지
② 화학 에너지　열에너지
③ 소리 에너지　열에너지
④ 역학적 에너지　열에너지
⑤ 전기 에너지　역학적 에너지

19 에너지의 전환이 서로 반대인 것끼리 짝 지어진 것을 〈보기〉에서 모두 고른 것은?

보기
ㄱ. 선풍기와 형광등　　ㄴ. 에어컨과 전열기
ㄷ. 전등과 태양 전지　　ㄹ. 마이크와 스피커

① ㄱ, ㄴ　　② ㄱ, ㄷ　　③ ㄱ, ㄹ
④ ㄴ, ㄹ　　⑤ ㄷ, ㄹ

20 에너지에 대한 설명으로 옳은 것은?

① 에너지는 전환 과정에서 소멸되기도 한다.
② 에너지는 한 형태에서 다른 형태로 전환된다.
③ 에너지는 전환 과정에서 새롭게 생성된다.
④ 유용한 에너지가 점점 감소하는 것은 에너지가 점점 없어지기 때문이다.
⑤ 우리가 사용할 수 있는 에너지는 무한하므로 에너지를 절약할 필요가 없다

memo

핵심 정리 01 세포 분열과 염색체

● 세포 분열이 필요한 까닭

세포가 커지면 부피에 대한 표면적의 비율이 작아져 표면적을 통한 ❶[ ]에 불리해진다. 따라서 세포 분열을 하여 물질 교환이 효율적으로 일어나도록 한다.

● 염색체

· 염색체: 유전 정보를 담아 전달하는 것으로 DNA와 단백질로 구성된다. DNA에는 많은 수의 유전자가 있다.

· 상동 염색체: 크기와 모양이 같은 1쌍의 염색체, 23쌍

· 상염색체: 남녀 공통으로 가지는 염색체, 44개(22쌍의 상동 염색체)

· 성염색체: 성을 결정하는 1쌍의 염색체, 남자: XY 여자 : ❷[ ]

상동 염색체

염색분체

답 ❶ 물질 교환 ❷ XX

핵심 정리 02 체세포 분열 과정

● 체세포 분열 과정

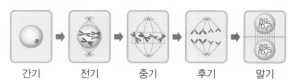

간기 → 전기 → 중기 → 후기 → 말기

· 전기: ❶[ ]이 사라짐, 염색체와 방추사가 나타남

· 중기: 염색체가 세포 중앙에 배열

· 후기: ❷[ ]가 분리되어 양극으로 이동함

· 말기: 염색체가 풀어지고 핵막 생성, 세포질 분열

● 세포질 분열

· 식물 세포: 세포 중앙에서 세포판이 생기면서 분리된다.

· 동물 세포: 세포막이 밖에서 안으로 들어가며 분리된다.

답 ❶ 핵막 ❷ 염색 분체

핵심 정리 03 체세포 분열 관찰

● 양파의 뿌리 끝 관찰

고정   해리   염색   분리

고정	❶[ ]과 아세트산 혼합액에 넣어 둠	세포 분열을 멈추고 살아 있는 상태로 유지
해리	묽은 염산에 물중탕	조직을 ❶[ ] 한다.
염색	아세트올세인 용액	핵과 염색체를 붉게 염색함
분리	해부침으로 찢음	세포들을 떼어냄
압착	거름종이로 덮고 눌러줌	세포들을 한 층으로 얇게 폄

답 ❶ 에탄올 ❷ 연하게

핵심 정리 04 생식세포 분열 과정

● 생식세포 분열

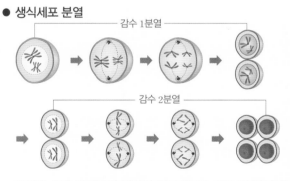

감수 1분열

감수 2분열

염색체 수가 체세포의 절반인 생식세포를 만들 때 일어나는 분열로, 유전 물질 복제 후 연속 2회 분열한다.

· 감수 1분열: 전기에 ❶[ ]가 나타나며, 후기에 2가 염색체가 분리되어 염색체 수가 절반으로 줄어든다.

· 감수 2분열: 체세포 분열 과정과 같이 ❷[ ]가 분리되며, 염색체 수는 변함없다.

답 ❶ 2가 염색체 ❷ 염색 분체

[예제] 그림은 체세포 분열 과정을 순서 없이 나타낸 것이다.

(가)　　　　(나)　　　　(다)　　　　(라)　　　　(마)

염색체가 처음으로 나타나는 시기의 기호와 이름을 쓰시오.

(　　　　(다), 전기　　　)

기억해요!

전기(핵막이 사라지고 염색체가 나타남), ☐☐☐(염색체가 세포 중앙에 배열), 후기(☐☐☐☐가 분리되어 세포 양쪽 끝으로 이동함.), 말기(핵막이 나타나고 염색체가 풀어짐, 세포질 분열 시작)

답 중기, 염색 분체

[예제] 크기가 다음과 같은 세 종류의 세포가 있다고 가정할 때, 물질 교환의 효율성을 옳게 비교한 것은?

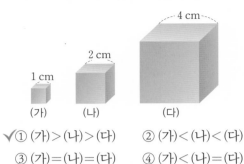

1 cm　　　2 cm　　　4 cm

(가)　　　(나)　　　(다)

✓① (가)＞(나)＞(다)　　　② (가)＜(나)＜(다)

③ (가)＝(나)＝(다)　　　④ (가)＜(나)＝(다)

⑤ (가)＝(나)＜(다)

기억해요!

세포가 커짐에 따라 부피에 대한 표면적의 비($\frac{표면적}{부피}$)가 작아져 세포 내부와 세포 외부와의 ☐☐☐이 어려워진다. 따라서 세포는 어느 정도 커지면 ☐☐하여 그 수를 늘린다.

답 물질 교환, 분열

[예제] 그림은 세포의 분열 과정을 나타낸 것이다.

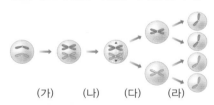

(가)　　　(나)　　　(다)　　　(라)

염색체의 수가 절반으로 줄어드는 시기와 염색 분체가 분리되는 시기를 순서대로 옳게 짝 지은 것은?

① (가)－(나)　　　② (가)－(다)

③ (나)－(다)　　　④ (나)－(라)

✓⑤ (다)－(라)

기억해요!

감수 1분열에서는 ☐☐☐☐가 분리되어 세포 양쪽 끝으로 이동하고, 감수 2분열에서는 ☐☐☐☐가 분리된다.

답 상동 염색체, 염색 분체

[예제] 그림은 양파의 뿌리 끝에서 세포 분열을 관찰하는 과정 중 한 단계를 나타낸 것이다. 이 과정을 거치는 까닭으로 옳은 것은?

아세트올세인 용액

① 조직을 압착하기 위해서

✓② 세포를 염색하기 위해서

③ 세포를 고정시키기 위해서

④ 조직을 연하게 하기 위해서

⑤ 세포나 조직을 분리하기 위해서

기억해요!

체세포 분열 과정은 '☐☐(에탄올과 아세트산 혼합액) → 해리(☐☐☐☐)→염색(아세트올세인 용액) → 분리(해부침) → 압착(거름종이)' 순서로 진행된다.

답 고정, 묽은 염산

● 체세포 분열과 생식세포 분열 비교

구분	체세포 분열	생식세포 분열
분열 횟수	1회	연속 2회
딸세포 수	2개	❶ 개
2가 염색체	형성되지 않음	형성됨
염색체 수	변화 없다	절반으로 줄어듦
분열 결과	생장, 재생	❷ 생성

답 ❶ 4 ❷ 생식세포

● 사람의 발생 과정

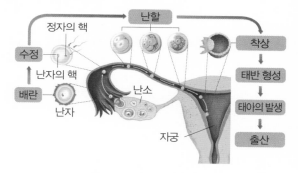

· 배란: 난자가 ❶ 에서 수란관으로 나온다.
· 수정: 정자와 난자가 ❷ 에서 결합한다.
· 난할: 수정란의 세포 분열로, 빠르게 분열하여 난할이 거듭될수록 딸세포의 크기는 작아진다.
· 착상: 수정이 이루어진 뒤 5~7일 후 수정란이 포배 상태로 자궁 안쪽 벽에 파묻힌다. → 임신

답 ❶ 난소 ❷ 수란관

● 한 쌍의 대립 형질 유전

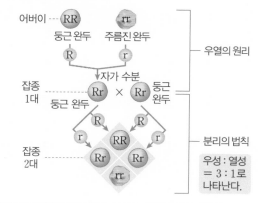

우열의 원리
대립 형질이 다른 두 순종의 개체를 교배하면 잡종 1대에서는 ❶ 형질만 나타난다.

분리의 법칙
쌍을 이루고 있던 ❷ 가 생식세포 분열이 일어날 때 분리되어 서로 다른 생식세포로 들어간다.

답 ❶ 우성 ❷ 대립유전자

● 두 쌍의 대립 형질 유전

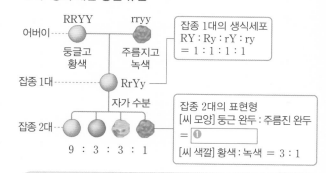

독립의 법칙
모양과 색깔에 대한 대립유전자는 서로 영향을 미치지 않고 각각 분리되어 서로 다른 생식세포로 들어간다.
→ 두 쌍 이상의 유전자는 서로 영향을 미치지 않고 독립적으로 ❷ 의 법칙에 따라 유전된다.

답 ❶ 3 : 1 ❷ 분리

[예제] 〈보기〉는 임신이 되는 과정을 순서 없이 나열한 것이다. 순서대로 옳게 나열하시오.

┌─ 보기 ─
(가) 수정란이 자궁에 착상한다.
(나) 성숙된 난자가 난소에서 배란된다.
(다) 수정란은 체세포 분열을 하며 자궁 쪽으로 이동한다.
(라) 정자와 난자가 만나 수정된다.

((나)—(라)—(다)—(가))

🔦 기억해요!

난소에서 성숙된 난자는 배란된 후 □□□에서 정자와 수정이 이루어진다. 그 후 수정란은 난할을 하며 수란관을 따라 자궁으로 이동한 후 자궁 내벽에 □□된다.

답 수란관, 착상

[예제] 그림은 두 가지 세포 분열을 나타낸 것이다.

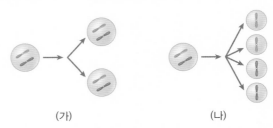

(가)   (나)

(가)와 (나) 분열의 이름을 쓰고, 각각의 분열이 일어나는 장소를 쓰시오.

(가) (체세포 분열, 온몸)
(나) (생식세포 분열, 생식 기관)

🔦 기억해요!

체세포 분열의 결과 염색체 수가 모세포와 같은 딸세포 □ 개가 만들어지고, 생식세포 분열이 끝나면 염색체 수가 모세포의 □□인 생식세포 4개가 만들어진다.

답 2, 절반

[예제] 그림과 같이 순종의 둥글고 황색인 완두와 주름지고 녹색인 완두를 교배하여 잡종 1대를 얻고, 잡종 1대를 자가 수분하여 잡종 2대를 얻었다.

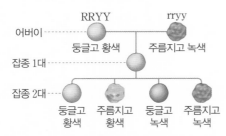

RRYY   rryy
어버이 ────
둥글고 황색   주름지고 녹색

잡종 1대 ────

잡종 2대 ────
둥글고   주름지고   둥글고   주름지고
황색   황색   녹색   녹색

잡종 2대에서 총 160개의 완두를 얻었을 때 주름지고 황색인 완두는 이론상 몇 개인지 쓰시오.

(30개)

🔦 기억해요!

순종의 둥글고 황색 완두와 주름지고 녹색 완두를 교배하면 잡종 1대에서 □□□□□ 완두만 나온다. 잡종 1대를 자가 수분하면 잡종 2대에서 '둥황 : 주황 : 둥녹 : 주녹=□□□□의 비율로 나온다.

답 둥글고 황색, 9 : 3 : 3 : 1

[예제] 그림은 순종의 황색 완두(YY)와 녹색 완두(yy)를 교배하여 잡종 1대를 얻은 다음, 잡종 1대를 자가 수분하여 잡종 2대를 얻는 과정을 나타낸 것이다.

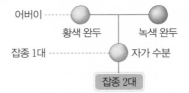

어버이 ────
황색 완두   녹색 완두

잡종 1대 ────   자가 수분

잡종 2대

잡종 2대에서 총 120개의 완두를 얻었을 때 이론적으로 얻을 수 있는 녹색 완두의 개수를 쓰시오.

(30개)

🔦 기억해요!

순종의 대립 형질끼리 교배하면 잡종 1대에서는 한 가지 형질만 나타나는데, 잡종 1대에서 나타나는 형질을 □□, 나타나지 않은 형질을 □□이라고 한다.

답 우성, 열성

핵심 정리 09 | 사람의 유전 연구

● **사람의 유전 연구가 어려운 까닭**

① 한 세대가 ❶⬚⬚⬚고, 자손의 수가 적다.

② 대립 형질이 복잡하고, 환경의 영향을 많이 받는다.

③ 연구 목적에 따라 자유롭게 교배 실험을 할 수 없다.

● **사람의 유전 연구 방법**

① 가계도 조사: 특정 형질을 가진 집안의 가계도를 분석하면 형질이 어떻게 유전되는지 알 수 있다.

② 쌍둥이 연구: 유전과 ❷⬚⬚⬚이 특정 형질에 미치는 영향을 알 수 있다.

③ 통계 조사: 특정 형질에 대한 사례를 가능한 많이 수집하고, 자료를 통계적으로 분석하여 유전자의 분포, 형질이 유전되는 특징 등을 밝힌다.

④ 염색체 및 DNA 분석: 염색체나 DNA를 분석하여 특정 유전자나 염색체와 관련된 유전 현상을 밝힌다.

답 ❶ 길 ❷ 환경

핵심 정리 10 | 가계도 분석

● **가계도 분석**

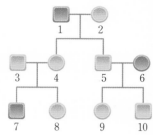

① 열성과 우성 판단: 부모(3, 4)에게 없던 형질이 자녀(7)에게 나타나면 부모의 형질이 ❶⬚⬚⬚, 자녀의 형질이 ❷⬚⬚⬚이다.

② 열성 형질(1, 6, 7)의 유전자형(rr)은 순종이고, 열성 자녀의 부모(3, 4)의 유전자형(Rr)은 잡종이다.

③ 본인이 우성이면서 부모가 모두 우성(8)이거나 자녀가 모두 우성(2)이면 유전자형을 확실히 알 수 없다.

④ 부모 중 한 사람이 열성(1, 6)이면 우성인 자녀(4, 5, 9, 10)의 유전자형은 모두 잡종(Rr)이다.

답 ❶ 우성 ❷ 열성

핵심 정리 11 | 상염색체 유전

● **상염색체 유전**

상염색체에 유전자가 있으며, 남녀에 따라 형질이 나타나는 빈도에 차이가 ❶⬚⬚⬚. 멘델의 법칙에 따라 유전되며, 대립 형질이 비교적 명확하게 구분된다.

구분	혀 말기	눈꺼풀	귓불 모양	보조개
우성	가능	쌍꺼풀	분리형	있음
열성	불가능	외까풀	부착형	없음

● **ABO식 혈액형 유전**

1쌍의 대립유전자에 의해 형질이 결정되며, 관여하는 대립유전자는 A, B, O 3가지이다(우열 관계: A=B>O).

표현형	A형	B형	O형	AB형
유전자형	AA, AO	BB, BO	❷⬚⬚⬚	AB

답 ❶ 없다 ❷ OO

핵심 정리 12 | 성염색체 유전

● **성염색체 유전**

유전자가 성염색체에 있어서 유전 형질이 나타나는 빈도가 남녀에 따라 차이가 나는 유전 현상 예 적록 색맹, 혈우병 등 → ❶⬚⬚⬚이라고 한다.

● **적록 색맹 유전**

• 유전자가 X 염색체 위에 있고, 적록 색맹 대립유전자(X′)가 정상 대립유전자에 대해 열성이다. → 여자보다 남자에게 많이 나타난다.

표현형	정상		색맹	
	남	여	남	여
유전자형	XY	XX, XX′(보인자)	X′Y	X′X′

• 어머니가 색맹이면 ❷⬚⬚⬚은 반드시 색맹이다.

답 ❶ 반성 유전 ❷ 아들

[예제] 그림은 어느 집안의 혀 말기 유전 가계도를 나타낸 것이다.

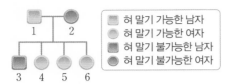

■ 혀 말기 가능한 남자
● 혀 말기 가능한 여자
■ 혀 말기 불가능한 남자
● 혀 말기 불가능한 여자

1번과 4번의 유전자형을 각각 쓰시오. (단, 우성 대립유전자는 R, 열성 대립유전자는 r로 쓴다.)

(1:Rr, 4:Rr)

🔦 기억해요!

혀 말기 불가능이 열성 형질이므로 2, 3의 유전자형은 ☐이다. 열성 형질의 부모가 있으면 자녀 중 우성 형질의 유전자형은 모두 ☐이다.

🏷 답 rr, 잡종

[예제] 사람의 유전 연구를 어렵게 하는 요인을 〈보기〉에서 모두 고르시오.

┌ 보기 ┐
ㄱ. 한 세대가 길다.
ㄴ. 자손의 수가 많다.
ㄷ. 자유로운 교배가 가능하다.
ㄹ. 대립 형질이 복잡하고, 환경의 영향을 많이 받는다.

(ㄱ, ㄹ)

🔦 기억해요!

사람의 유전 연구 방법에는 ☐ 연구(유전과 환경의 영향), ☐ 조사(특정 집안의 가계도 분석), 통계 조사(많은 사람을 대상으로 조사 후 통계) 등이 있다.

🏷 답 쌍둥이, 가계도

[예제] 그림은 어떤 집안의 적록 색맹 가계도이다.

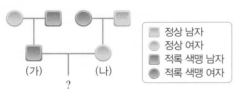

■ 정상 남자
● 정상 여자
■ 적록 색맹 남자
● 적록 색맹 여자

(가)와 (나)가 결혼했을 때 자녀에게서 적록 색맹인 딸이 나올 확률은?

① 0 ✓② 25 % ③ 33 %
④ 50 % ⑤ 75 %

🔦 기억해요!

적록 색맹 유전은 유전자가 성염색체인 ☐ 염색체 위에 있고, 적록 색맹 대립유전자(X')는 정상 대립유전자에 대해 ☐으로 유전되어 여자보다 남자에게 더 많이 나타난다.

🏷 답 X, 열성

[예제] 자녀의 혈액형 중에서 부모와 같은 혈액형이 나올 수 없는 부모의 결합은?

① O형×O형
② A형×O형
✓③ AB형×O형
④ A형×B형
⑤ AB형×AB형

🔦 기억해요!

ABO식 혈액형 대립유전자의 우열 관계는 A＝B☐O이다. 따라서 A형의 유전자형은 AO 또는 AA이고, B형의 유전자형은 BO 또는 BB이다. O형의 유전자형은 ☐이고, AB형의 유전자형은 AB이다.

🏷 답 >, OO

- **역학적 에너지**

  위치 에너지와 운동 에너지의 합

- **역학적 에너지 전환**

  물체가 내려갈 때는 ❶ [　　] 에너지가 운동 에너지로, 올라갈 때는 ❷ [　　] 에너지가 위치 에너지로 전환된다.

- **롤러코스터에서 역학적 에너지 전환**

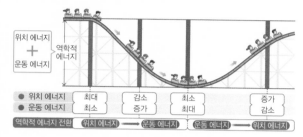

| ● 위치 에너지 | 최대 | 감소 | 최소 | 증가 |
| ● 운동 에너지 | 최소 | 증가 | 최대 | 감소 |

| 역학적 에너지 전환 | 위치 에너지 → 운동 에너지 | 운동 에너지 → 위치 에너지 |

답 ❶ 위치 ❷ 운동

- **역학적 에너지 보존 법칙**

  공기 저항이나 마찰이 없을 때 위치 에너지와 운동 에너지의 합인 역학적 에너지는 일정하게 보존된다.

- **자유 낙하 하는 물체의 역학적 에너지 보존**

  자유 낙하 하는 물체는 ❶ [　　] 에너지가 감소한 만큼 ❷ [　　] 에너지가 증가한다.

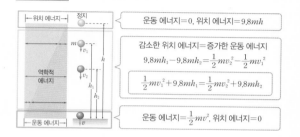

운동 에너지=0, 위치 에너지=$9.8mh$

감소한 위치 에너지=증가한 운동 에너지

$$9.8mh_1 - 9.8mh_2 = \frac{1}{2}mv_2^2 - \frac{1}{2}mv_1^2$$

$$\frac{1}{2}mv_1^2 + 9.8mh_1 = \frac{1}{2}mv_2^2 + 9.8mh_2$$

운동 에너지=$\frac{1}{2}mv^2$, 위치 에너지=0

답 ❶ 위치 ❷ 운동

- **에너지의 종류**

운동 에너지	운동하는 물체가 가지고 있는 에너지
위치 에너지	높은 곳에 있는 물체가 가지는 에너지
빛에너지	태양이나 전등에서 나오는 빛이 가지는 에너지로, 식물은 빛에너지로 광합성을 통해 영양분을 만들고 태양 전지는 전기를 만든다.
소리 에너지	물체를 두드리거나 흔드는 경우 공기의 ❶ [　　] 을 통해 이동하는 에너지로, 물체가 진동할 때 발생한다.
화학 에너지	우리가 섭취하는 음식물이나 석유, 석탄, 천연가스와 같은 연료 속에 저장된 에너지
열에너지	온도가 높은 물체에서 낮은 물체로 이동하는 에너지로, 물체의 ❷ [　　] 나 상태를 변화시킬 수 있다.
전기 에너지	전기 기구에 전류가 흐르면 공급되는 에너지로, 다른 형태의 에너지로 쉽게 전환된다.

답 ❶ 진동 ❷ 온도

- **에너지 전환** 에너지는 한 종류로만 존재하는 것이 아니라, 한 종류의 에너지에서 다른 종류의 에너지로 끊임없이 변한다.

선풍기	전기 에너지 → 운동 에너지
모닥불	❶ [　　] → 빛에너지, 열에너지
마이크	소리 에너지 → 전기 에너지
광합성	❷ [　　] → 화학 에너지
풍력 발전	운동 에너지 → 전기 에너지

- **에너지 보존 법칙** 에너지가 전환될 때 에너지가 새로 생기거나 사라지지 않고 그 양은 항상 일정하게 보존된다.

- **역학적 에너지가 보존되지 않는 경우** 공기 저항이나 마찰이 있으면 역학적 에너지의 일부가 열에너지, 소리 에너지 등과 같은 다른 에너지로 전환된다.

답 ❶ 화학 에너지 ❷ 빛에너지

[예제] 그림은 물체가 자유 낙하 운동을 하는 모습을 나타낸 것이다. 물체의 에너지 중 크기가 같은 것끼리 〈보기〉에서 골라 옳게 짝 지은 것은?

A ⚪ 정지
B 🔵
C 🔵
D 🔵 지면

┌ 보기 ├
ㄱ. A에서의 위치 에너지
ㄴ. B에서의 운동 에너지
ㄷ. C에서의 역학적 에너지
ㄹ. D에서의 운동 에너지

① ㄱ, ㄴ 　② ㄱ, ㄹ 　③ ㄴ, ㄷ
④ ㄷ, ㄹ 　✓⑤ ㄱ, ㄷ, ㄹ

💡 기억해요!

자유 낙하 하는 물체의 감소한 위치 에너지는 ▢ 에너지로 전환된다. 따라서 물체의 운동 에너지와 위치 에너지의 ▢ 인 역학적 에너지는 어느 지점에서나 항상 같다.

📄 답 운동, 합

[예제] 그림은 위로 던져 올린 공이 올라가는 모습을 나타낸 것이다. 이에 대한 설명으로 옳은 것을 〈보기〉에서 모두 고른 것은?

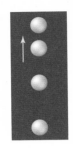

┌ 보기 ├
ㄱ. 위치 에너지는 감소한다.
ㄴ. 운동 에너지는 증가한다.
ㄷ. 운동 에너지가 위치 에너지로 전환 된다.

① ㄱ 　② ㄴ 　✓③ ㄷ
④ ㄱ, ㄷ 　⑤ ㄱ, ㄴ, ㄷ

💡 기억해요!

물체가 위로 올라가는 동안 높이가 높아지므로 위치 에너지는 ▢ 하고, 속력이 느려지므로 운동 에너지는 ▢ 한다. 이 때 감소한 운동 에너지는 위치 에너지로 전환된다.

📄 답 증가, 감소

[예제] 에너지 전환과 보존에 대한 설명으로 옳은 것을 〈보기〉에서 모두 고른 것은?

┌ 보기 ├
ㄱ. 전구는 빛에너지를 전기 에너지로 전환한다.
ㄴ. 역학적 에너지는 열에너지로 전환될 수 있다.
ㄷ. 사람이 유용하게 사용할 수 있는 에너지는 점점 감소하고 있다.

① ㄱ 　② ㄴ 　③ ㄱ, ㄷ
✓④ ㄴ, ㄷ 　⑤ ㄱ, ㄴ, ㄷ

💡 기억해요!

에너지는 한 형태에서 다른 형태로 전환되지만 에너지가 전환될 때 에너지가 새로 ▢ 사라지지 않고 그 양은 항상 일정하게 보존된다. 이를 ▢ 법칙이라고 한다.

📄 답 생기거나, 에너지 보존

[예제] 다음 설명에 해당하는 에너지는?

┌─────────────────────────────┐
물체를 두드리거나 흔드는 경우 공기의 진동을 통해 이동하는 에너지로 물체가 진동할 때 발생한다.
└─────────────────────────────┘

① 빛에너지
② 열에너지
③ 화학 에너지
✓④ 소리 에너지
⑤ 역학적 에너지

💡 기억해요!

에너지에는 물체의 진동으로 발생하는 ▢, 광원에서 나오는 빛에너지, 물체의 온도나 상태를 변화시키는 ▢, 전기 제품에 사용되는 전기 에너지, 물질 속에 저장된 화학 에너지 등이 있다.

📄 답 소리 에너지, 열에너지

중간·기말시험, 7일 안에 확실히 끝내 줄게!

7일 끝 시리즈

초단기 시험 대비

시험에 꼭 나오는 핵심만 콕콕!
학습량은 줄이고 효율은 높여
7일 안에 중간·기말고사 최적 대비!

중하위권 기초 다지기

시험이 두려운 중하위권들을 위해
쉽지만 꼭 풀어봐야 할 문제들만 모아
기초를 확실하게 다져주는 교재!

다양한 기출·예상 문제

학교 내신 빈출 문제는 물론,
창의·융합형, 서술형, 신유형 등
다양한 문제 수록으로 철저한 시험 대비!

아직 늦지 않았다, "7일 끝"으로 7일 안에 결판 내자!

국어: 중2~3 (학기별, 박영목/노미숙)
수학: 중1~3 (학기별)
영어: 영문법1~3 (내신 기반 다지기)

사회: 중1~3 (사회 ①, ②/역사 ①, ②)
과학: 중1~3 (학기별)

book.chunjae.co.kr

교재 내용 문의	·······················	교재 홈페이지 ▶ 중등 ▶ 교재상담
교재 내용 외 문의	·······················	교재 홈페이지 ▶ 고객센터 ▶ 1:1문의
발간 후 발견되는 오류	··············	교재 홈페이지 ▶ 중등 ▶ 학습지원 ▶ 학습자료실

7일 끝

기말고사

7일 끝으로 끝내자!

중학 과학 3-2

BOOK 2

천재교육

언제나 만점이고 싶은 친구들 ——————

Welcome!

숨 돌릴 틈 없이 찾아오는 시험과 평가,
성적과 입시 그리고 미래에 대한 걱정.
중·고등학교에서 보내는 6년이란 시간은
때때로 힘들고, 버겁게 느껴지곤 해요.

그런데 여러분, 그거 아세요?
지금 이 시기가 노력의 대가를
가장 잘 확인할 수 있는 시간이라는 걸요.

안 돼, 못하겠어, 해도 안 될 텐데-
어렵게 생각하지 말아요. 천재교육이 있잖아요.
첫 시작의 두려움을 첫 마무리의 뿌듯함으로 바꿔줄게요.

펜을 쥐고 이 책을 펼친 순간
여러분 앞에 무한한 가능성의 길이 열렸어요.

우리와 함께 꽃길을 향해 걸어가 볼까요?

#시험대비
#핵심정복

**7일 끝
중간고사
기말고사**

Chunjae
Makes
Chunjae

▼

[7일 끝] 중학 과학 3-2

개발총괄   김은숙
편집개발   이강순, 김설희, 이영웅
제작   황성진, 조규영

발행일   2021년 7월 15일 초판 2021년 7월 15일 1쇄
발행인   (주)천재교육
주소   서울시 금천구 가산로9길 54
신고번호   제2001-000018호
고객센터   1577-0902
교재 내용문의 (02)3282-8718

7일 끝으로 끝내자!

중학 과학 3-2

BOOK 2
기 말 고 사 대 비

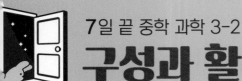
구성과 활용

시험 공부 시작

생각 열기

공부할 내용을 그림과 퀴즈로 쉽게 살펴보며 학습을 준비해 보세요.

❶ 그림으로 개념 잡기 학습할 개념을 그림과 만화로 재미있게 알아보세요.

❷ Quiz 공부할 내용을 그림과 관련된 퀴즈 문제로 확인해 보세요.

본격 공부 중

교과서 핵심 정리 + 기초 확인 문제

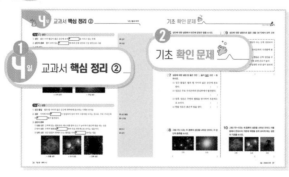

꼭 알아야 할 교과서 핵심 개념을 익히고 기초 확인 문제를 풀며 제대로 이해했는지 확인해 보세요.

❶ 교과서 핵심 정리 빈칸을 채워 보며 교과서 핵심 개념을 다시 한번 체크해 보세요.

❷ 기초 확인 문제 교과서 핵심 정리와 관련된 문제를 풀며 공부한 내용을 확인해 보세요.

내신 기출 베스트

다양한 유형의 문제를 풀어 보며 공부한 내용을 점검해 보세요.

❶ 대표 예제 시험에 자주 나오는 빈출 유형 필수 문제를 풀어 보세요.

❷ 개념 가이드 대표 예제와 관련된 핵심 개념을 익혀 보세요.

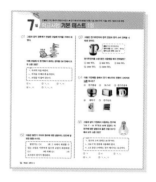

누구나 100점 테스트
5일 동안 공부한 내용을 바탕으로 기초 이해력을 점검해 보세요.

서술형·사고력 테스트
창의·융합·코딩 테스트
서술형·사고력 문제와 창의·융합·코딩 문제를 풀어 보면서 창의력과 문제 해결력을 길러 보세요.

학교시험 기본 테스트
중간·기말고사 예상 문제를 최종으로 풀며 실전에 대비해 보세요.

틈틈이·짬짬이 공부하기

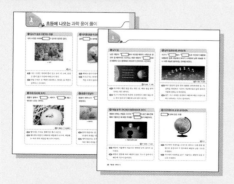

초등학교에서 배운 과학 용어로 선수 학습을 확인할 수 있어요.

시험 직전이나 틈틈이 암기 카드를 휴대하여 활용해 보세요.

차례

7일 끝
과학 3-2와 내 교과서 비교하기

❝ 학교 시험 범위와 내 교과서의 출판사명을 확인하고 7일 끝 교재 범위를 체크해 공부해요.

예를 들어, 〈천재교과서〉의 과학 교과서를 사용하는 내 학교의 2학기 기말고사 범위가 'Ⅵ. 에너지 전환관 보존−전기 에너지의 발생과 전환 ~ Ⅶ. 별과 우주'(239~277쪽)까지라고 하면, 7일 끝 BOOK2 $\boxed{8{\sim}39쪽}$ 을 학습하면 돼요! ❞

	대단원	일별 학습 주제	7일 끝 과학 3-2(쪽)
BOOK 1	Ⅴ. 생식과 유전	1일 세포 분열	8~15
		2일 생식세포 분열/사람의 발생	16~23
		3일 멘델의 유전 원리	24~31
		4일 사람의 유전	32~39
	Ⅵ. 에너지 전환과 보존(1)	5일 에너지 전환과 보존	40~47

	대단원	일별 학습 주제	7일 끝 과학 3-2(쪽)
BOOK 2	Ⅵ. 에너지 전환과 보존(2)	1일 전기 에너지의 발생과 전환	8~15
	Ⅶ. 별과 우주	2일 별까지의 거리	16~23
		3일 별의 등급과 표면 온도	24~31
		4일 은하와 우주	32~39
	Ⅷ. 과학 기술과 인류 문명	5일 과학 기술과 인류 문명	40~47

천재교과서(쪽)	비상교육(쪽)	미래엔(쪽)	동아출판(쪽)
181~195	162~169	174~186	169~181
196~199	170~171	188~189	182~186
203~212	176~181	190~197	189~195
213~221	182~189	198~203	196~203
231~236	198~203	214~219, 232~235	215~221
239~245	208~217	220~230	225~237
255~258	226~229	246~249	249~251
259~263	230~233	250~255	252~257
264~277	238~257	256~271	261~272
284~297	266~275	282~295	282~295

전기 에너지의 발생과 전환

그림으로 개념 잡기

전자기 유도

영구 자석
코일 철심
발광 다이오드
바퀴축
투명한 플라스틱

바퀴가 굴러갈 때 자석 사이의 코일이 회전하여 전구에 불이 켜져.

발전기

코일 사이에서 자석이 움직여도 전구에 불이 켜져.

자석
코일
계속 흔든다

공부할
내용

❶ 전자기 유도
❷ 발전기

❸ 전기 에너지의 전환
❹ 소비 전력과 전력량

발전기의 구조와 원리

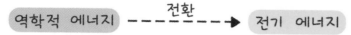

역학적 에너지 ----전환----➤ 전기 에너지

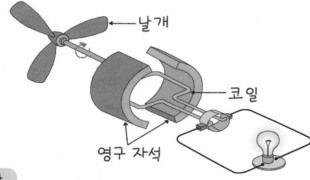

날개

코일

영구 자석

전기 에너지의 전환

텔레비전: 전기 에너지
➜ 빛, 소리 에너지

히터: 전기 에너지
➜ 열에너지

선풍기: 전기 에너지
➜ 운동 에너지

스마트폰 충전: 전기 에너지
➜ 화학 에너지

Quiz

1. 코일 주위에서 자석을 ❶ (빠르게, 느리게) 움직일수록 코일에 흐르는 유도 전류의 세기가 크다.

2. 전기밥솥에서는 전기 에너지가 ❷ (열, 화학) 에너지로 전환된다.

답 ❶ 빠르게 ❷ 열

교과서 **핵심 정리** ①

개념 1 | **전자기 유도**

1. 전자기 유도 코일 근처에서 자석이 움직일 때 코일을 통과하는 **❶**〔　　　〕이 변하여 코일에 전류가 발생하는 현상

코일 주위에서 자석이 움직이지 않을 때	코일 주위에서 자석이 움직일 때
자석 / 꼬마전구형 발광 다이오드 / 코일 자석이 움직이지 않을 때는 불이 들어 오지 않는다.	자석이 움직일 때는 코일에 유도 전류가 흘러 불이 들어 온다.

❶ 자기장

2. 유도 전류의 세기 강한 자석을 움직일수록, 자석을 **❷**〔　　　〕움직일수록, 코일의 감은 수가 **❸**〔　　　〕유도 전류의 세기가 크다. └─ 전자기 유도 현상이 일어날 때 코일에 흐르는 전류로, 자기장의 변화를 방해하는 방향으로 흐른다.

❷ 빠르게
❸ 많을수록

3. 전자기 유도의 이용 발전기, 교통 카드 단말기, 도난 방지 장치, 마이크, 자전거 전조등, 보안 검색대 등

개념 2 | **발전기**

1. 발전 위치 에너지와 운동 에너지 등의 에너지를 전기 에너지로 바꾸는 것

2. 발전기 영구 자석과 그 속에서 회전할 수 있는 **❹**〔　　　〕로 이루어진 장치

❹ 코일

① 발전기의 구조와 원리: 발전기의 회전축이 돌아가면 코일이 자석 사이에서 회전하는데, 이때 코일 내부를 지나는 **❺**〔　　　〕이 변하여 코일에 전류가 흐른다.

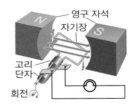

❺ 자기장

코일을 회전시킨다.	→	코일을 통과하는 자기장이 변한다.	→	코일에 유도 전류가 흐른다.

② 발전기에서의 에너지 전환: **❻**〔　　　〕에너지 ➡ 전기 에너지

❻ 역학적

3. 역학적 에너지가 전기 에너지로 전환되는 예

풍력 발전소	바람의 **❼**〔　　　〕에너지가 발전기를 돌려 전기를 만든다.
수력 발전소	물의 **❽**〔　　　〕에너지가 발전기를 돌려 전기를 만든다.
자전거의 자가발전식 전조등	바퀴의 운동 에너지가 발전기를 돌려 전조등을 켠다.
발광 인라인스케이트	바퀴의 운동 에너지에 의해 코일이 회전하여 발광 다이오드에 불이 켜진다.

❼ 운동

❽ 역학적

정답과 해설 **25쪽**

01 다음에서 설명하는 현상을 무엇이라고 하는지 쓰시오.

> 코일 근처에서 자석을 움직이거나, 자석 근처에서 코일을 움직이면 코일에 전류가 흐른다. 이처럼 자석이나 코일을 움직여 코일을 통과하는 자기장이 변하면 코일에 전류가 흐르게 된다.

(   )

02 그림과 같이 자석을 코일에 가까이 하였더니 발광 다이오드에 불이 켜졌다. 발광 다이오드에 불이 켜지는 경우를 〈보기〉에서 모두 고르시오.

> ┌ 보기 ┐
> ㄱ. 자석을 코일에서 멀리 할 때
> ㄴ. 코일을 자석에 가까이 할 때
> ㄷ. 자석을 코일 속에 넣고 가만히 있을 때

(   )

03 코일 근처에서 자석을 움직일 때 발생하는 유도 전류의 세기가 변하는 경우를 〈보기〉에서 모두 고르시오.

> ┌ 보기 ┐
> ㄱ. 자석의 극을 바꾼다.
> ㄴ. 강한 자석을 사용한다.
> ㄷ. 자석을 빠르게 움직인다.
> ㄹ. 코일의 감은 수를 많이 한다.

(   )

04 다음은 발전기의 구조와 원리에 대한 설명이다. 빈칸에 알맞은 말을 쓰시오.

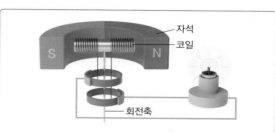

> 발전기는 ㉠(   )과 코일로 이루어져 있다. 그림과 같은 발전기의 자석 사이에서 코일이 회전하면 ㉡(   ) 현상이 일어나 코일에 전류가 흐른다.

05 다음은 발전기에서 일어나는 에너지 전환 과정을 나타낸 것이다. 빈칸에 알맞은 말을 쓰시오.

> (   ) 에너지 → 전기 에너지

06 다음은 여러 가지 발전에서 일어나는 에너지 전환을 나타낸 것이다. 빈칸에 알맞은 말을 쓰시오.

(1) 수력 발전: (   ) 에너지 → 전기 에너지
(2) 화력 발전: (   ) 에너지 → 전기 에너지
(3) 풍력 발전: (   ) 에너지 → 전기 에너지
(4) 자전거의 자가발전기: (   ) 에너지 → 전기 에너지

1일 교과서 핵심 정리 ②

개념 3 전기 에너지의 전환

1. 전기 에너지의 전환 여러 가전제품을 이용하여 전기 에너지를 운동 에너지, 열에너지, 빛에너지, 화학 에너지 등으로 전환하여 이용한다.

세탁기	텔레비전	전기난로	배터리 충전
• 세탁기로 빨래를 한다. • 전기 에너지 → ❶ ☐	• 텔레비전으로 영상을 본다. • 전기 에너지 → 빛에너지, 소리 에너지	• 전기난로로 집 안을 따뜻하게 한다. • 전기 에너지 → ❷ ☐	• 배터리를 충전한다. • 전기 에너지 → ❸ ☐

2. 전기 에너지의 장점
① 전선을 이용하여 비교적 쉽게 먼 곳까지 전달할 수 있다.
② ❹ ☐ 에 저장하여 휴대하고 다니며 필요할 때 사용할 수 있다.
③ 각종 전기 기구를 통해 다른 에너지로 쉽게 전환하여 이용할 수 있다.

개념 4 소비 전력과 전력량

1. 소비 전력 전기 기구가 ❺ ☐ 동안 소비하는 전기 에너지의 양으로, 단위는 ❻ ☐,

kW(킬로와트)이다. → 소비 전력(W) = $\dfrac{전기\ 에너지(J)}{시간(s)}$

① 1 W: 전기 기구가 1 초 동안 1 J의 전기 에너지를 소비하는 것을 의미한다.
② 정격 전압 : 전기 기구가 정상적으로 작동할 수 있는 전압
③ 정격 소비 전력 : 정격 전압을 걸어 주었을 때 1 초 동안 사용하는 전기 에너지의 양

> **정격 전압과 정격 소비 전력**
>
> 정격 전압 ┘ 220 V ─ 2200 W ┌ 정격 소비 전력
>
> • 전류 구하기: 전력 공식 이용
>
> 전류 = $\dfrac{전력}{전압}$ = $\dfrac{2200\ W}{220\ V}$ = 10 A
>
> • 저항 구하기: 옴의 법칙 이용
>
> 저항 = $\dfrac{전압}{전류}$ = $\dfrac{220\ V}{10\ A}$ = 22 Ω
>
>
>
> 220 V의 전원에 연결하였을 때 1 초 동안 2200 J의 전기 에너지를 소비한다.

2. 전력량 전기 기구가 일정 시간 동안 사용한 전기 에너지의 양으로, 단위는 ❼ ☐,

kWh(킬로와트시)이다. → 전력량(Wh) = 소비 전력(W) × 시간(h)
• 1 W h: 1 W의 전력을 1 시간 동안 사용했을 때의 전력량

❶ 운동 에너지
❷ 열에너지

❸ 화학 에너지

❹ 배터리

❺ 1 초
❻ W(와트)

❼ Wh(와트시)

기초 확인 문제

정답과 해설 **25쪽**

07 다음은 여러 가지 전기 기구에서의 전기 에너지의 전환을 나타낸 것이다. 빈칸에 알맞은 말을 쓰시오.

(1) 전등: 전기 에너지 → (   )

(2) 스피커: 전기 에너지 → (   )

(3) 전기주전자: 전기 에너지 → (   )

(4) 에어컨: 전기 에너지 → (   )

08 다음은 스마트폰을 사용하는 과정에서 일어나는 전기 에너지의 전환을 나타낸 것이다. 빈칸에 알맞은 말을 쓰시오.

스마트폰 사용	전기 에너지의 전환
음악을 듣는다.	전기 에너지 → ㉠( )
사진을 본다.	전기 에너지 → ㉡( )
진동을 느낀다.	전기 에너지 → ㉢( )

09 전기 에너지의 전환에 대한 설명으로 옳은 것을 〈보기〉에서 모두 고르시오.

┌─ 보기 ─────────────────────────┐
ㄱ. 다른 종류의 에너지로는 전환하기 쉽지 않다.
ㄴ. 전선을 이용하여 비교적 쉽게 먼 곳까지 전달할 수 있다.
ㄷ. 배터리에 저장하여 휴대하고 다니며 필요할 때 사용할 수 있다.
└─────────────────────────────┘

(   )

10 소비 전력에 대한 설명으로 옳은 것을 〈보기〉에서 모두 고르시오.

┌─ 보기 ─────────────────────────┐
ㄱ. 단위는 W(와트)를 사용한다.
ㄴ. 모든 제품의 소비 전력은 같다.
ㄷ. 전기 기구가 1 시간 동안 소비하는 전기 에너지의 양이다.
└─────────────────────────────┘

(   )

11 다음은 전력량을 구하는 것을 나타낸 것이다. 빈칸에 알맞은 말을 쓰시오.

┌─────────────────────────────┐
전력량(Wh)=소비 전력(W)×(   )
└─────────────────────────────┘

12 빈칸에 알맞은 말을 쓰시오.

(1) 1 초 동안 1 J의 전기 에너지를 소비할 때의 전력은 (   )이다.

(2) 소비 전력이 1 W인 전기 기구를 1 시간 동안 사용했을 때의 전력량은 (   )이다.

대표 예제 1 　전자기 유도

그림은 검류계와 연결된 코일 속에 자석을 넣는 모습을 나타 낸 것이다. 이에 대한 설명으로 옳은 것을 〈보기〉에서 모두 고르시오.

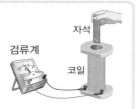

┌ 보기 ├

ㄱ. 전자기 유도 현상이 일어난다.

ㄴ. 코일에 흐르는 전류를 유도 전류라고 한다.

ㄷ. 코일 속에 자석을 넣어두면 전류가 흐른다.

ㄹ. 자석을 코일 속에서 움직이면 검류계 바늘은 움직이지 않는다.

(　　　　　)

🧭 개념 가이드

전자기 유도는 자석과 코일의 상대적인 움직임에 의해 ☐ 의 변하여 ☐ 가 흐르는 현상이다. 🗈 자기장, 전류

대표 예제 2 　전자기 유도

그림과 같이 코일에 자석을 가까이 할 때에 대한 설명으로 옳지 않은 것은?

① 자기장의 변화로 전류가 발생한다.

② 역학적 에너지가 전기 에너지로 전환된다.

③ 전자기 유도에 의해 코일에 전류가 발생한다.

④ 코일에서 자석을 멀리 할 때도 전류가 발생한다.

⑤ 자석에 코일을 가까이 하거나 멀리 할 때는 전류가 발생하지 않는다.

🧭 개념 가이드

자석 근처의 코일에 흐르는 유도 전류는 ☐ 이 움직이거나 ☐ 이 움직일 때 발생한다. 🗈 자석, 코일

대표 예제 3 　발전기

그림과 같이 간이 발전기에 발광 다이오드를 연결한 후 흔들었더니 발광 다이오드에 불이 켜졌다. 이에 대한 설명으로 옳은 것을 〈보기〉에서 모두 고르시오.

┌ 보기 ├

ㄱ. 자석이 코일 속에서 움직이면 코일에 전류가 흐른다.

ㄴ. 전자기 유도 현상에 의해 전류가 흐른다.

ㄷ. 간이 발전기를 흔들면 역학적 에너지가 전기 에너지로 전환된다.

(　　　　　)

🧭 개념 가이드

자석과 코일을 이용해 만든 간이 발전기는 ☐ 현상을 이용해 ☐ 에너지를 생산한다. 🗈 전자기 유도, 전기

대표 예제 4 　발전기

그림과 같은 손발전기의 손잡이를 돌려 전구에 불을 켰다. 이때 일어나는 에너지 전환으로 옳은 것은?

① 빛에너지 → 전기 에너지 → 역학적 에너지

② 화학 에너지 → 역학적 에너지 → 빛에너지

③ 전기 에너지 → 화학 에너지 → 빛에너지

④ 역학적 에너지 → 화학 에너지 → 빛에너지

⑤ 역학적 에너지 → 전기 에너지 → 빛에너지

🧭 개념 가이드

손발전기에서는 사람이 손발전기의 손잡이를 돌리는 ☐ 에너지가 ☐ 에너지로 전환된다. 🗈 역학적, 전기

대표 예제 5 전기 에너지의 전환

여러 가지 가전제품에서 일어나는 전기 에너지의 전환으로 옳지 <u>않은</u> 것은?

① 스탠드: 전기 에너지 → 빛에너지

② 전기밥솥: 전기 에너지 → 열에너지

③ 오디오: 전기 에너지 → 소리 에너지

④ 세탁기: 전기 에너지 → 운동 에너지

⑤ 배터리 충전: 전기 에너지 → 역학적 에너지

⊘ **개념 가이드**

배터리를 충전할 때는 전기 에너지가 ☐☐ 에너지로 전환되고, 배터리를 사용할 때는 ☐☐ 에너지가 전기 에너지로 전환된다. 🖼 화학, 화학

대표 예제 6 전기 에너지의 전환

그림은 일상생활에서 전기 에너지를 다양한 형태의 에너지로 전환하여 이용하는 것을 나타낸 것이다.

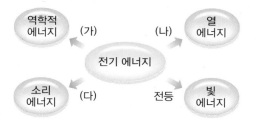

(가), (나), (다)에 알맞은 전기 기구를 쓰시오.

(   )

⊘ **개념 가이드**

전기 에너지를 ☐☐ 로 전환하는 기기에는 오디오, 라디오, 스피커 등이 있고, 전기 에너지를 ☐☐ 로 전환하는 기기에는 전등이 있다. 🖼 소리 에너지, 빛에너지

대표 예제 7 소비 전력과 전력량

다음은 여러 가지 가전제품의 정격 전압과 소비 전력을 나타낸 것이다. 정격 전압에 연결했을 때 단위 시간당 소비하는 전기 에너지가 많은 순서대로 나열하시오.

(가) 백열등: 220 V − 60 W

(나) 냉장고: 220 V − 100 W

(다) 전기다리미: 220 V − 600 W

(라) 전자레인지: 220 V − 1300 W

(마) 헤어드라이어: 220 V − 1100 W

(   )

⊘ **개념 가이드**

정격 소비 전력은 정격 ☐☐ 을 걸어 주었을 때 그 전기 기구가 ☐☐ 동안 소비하는 전기 에너지의 양을 뜻한다. 🖼 전압, 1 초

대표 예제 8 소비 전력과 전력량

소비 전력과 전력량에 대한 설명으로 옳은 것을 〈보기〉에서 모두 고른 것은?

┌ 보기 ┐
ㄱ. 소비 전력의 단위는 W(와트)를 사용한다.
ㄴ. 전력량은 소비 전력과 시간의 곱으로 나타낸다.
ㄷ. 전기 기구가 일정 시간 동안 소비하는 전기 에너지의 양을 전력량이라고 한다.

① ㄱ   ② ㄷ   ③ ㄱ, ㄴ

④ ㄴ, ㄷ   ⑤ ㄱ, ㄴ, ㄷ

⊘ **개념 가이드**

전기 기구가 1 초 동안 소비하는 전기 에너지의 양을 ☐☐ 이라 하고, 일정 시간 동안 소비하는 전기 에너지의 양을 ☐☐ 이라고 한다. 🖼 소비 전력, 전력량

그림으로 개념 잡기

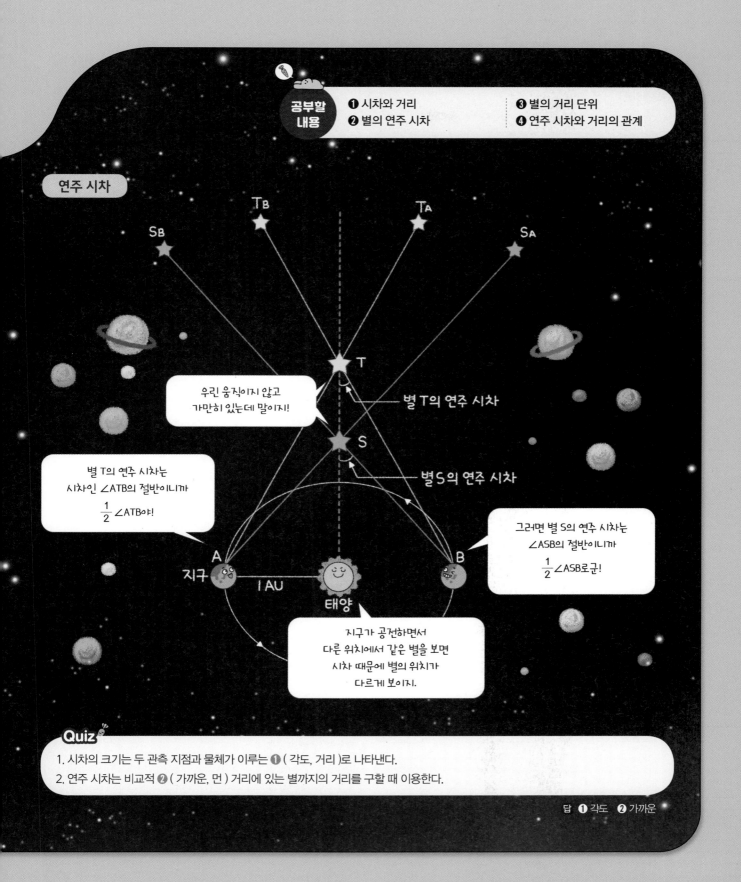

연주 시차

별 T의 연주 시차

별 S의 연주 시차

우린 움직이지 않고 가만히 있는데 말이지!

별 T의 연주 시차는 시차인 ∠ATB의 절반이니까 $\frac{1}{2}$∠ATB야!

그러면 별 S의 연주 시차는 ∠ASB의 절반이니까 $\frac{1}{2}$∠ASB로군!

지구가 공전하면서 다른 위치에서 같은 별을 보면 시차 때문에 별의 위치가 다르게 보이지.

지구 1 AU 태양

Quiz

1. 시차의 크기는 두 관측 지점과 물체가 이루는 ❶ (각도, 거리)로 나타낸다.

2. 연주 시차는 비교적 ❷ (가까운, 먼) 거리에 있는 별까지의 거리를 구할 때 이용한다.

답 ❶ 각도 ❷ 가까운

교과서 **핵심 정리** ①

개념 1 시차와 거리

1. 시차 관측자의 위치에 따라 물체의 ❶[　　　　] 방향이 달라지는 정도

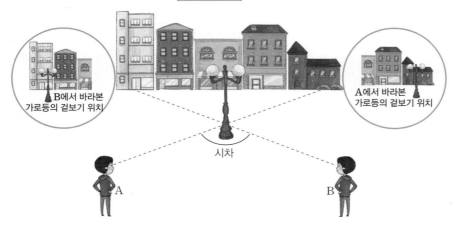

B에서 바라본
가로등의 겉보기 위치

A에서 바라본
가로등의 겉보기 위치

시차

A

B

• 시차의 크기는 두 관측 지점과 물체가 이루는 각도로 나타낸다.

2. 시차와 거리의 관계

① 거리가 가까워지면 시차는 ❷[　　　　]. ➡ ❸[　　　　] 관계

② 어떤 물체의 시차를 측정하면 거리를 직접 측정하지 않아도 그 물체까지의 거리를 알아낼 수 있다.

❶ 겉보기

❷ 커진다
❸ 반비례

개념 2 별의 연주 시차

1. 별의 연주 시차 지구에서 ❹[　　　　] 간격으로 별을 관측했을 때 나타나는 ❺[　　　　]의 $\frac{1}{2}$에 해당하는 값

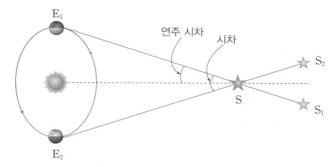

E_1

연주 시차 시차

S_2

S

S_1

E_2

① 별의 연주 시차는 거리가 ❻[　　　　] 별일수록 작다. ➡ 반비례 관계

② 별은 매우 멀리 떨어져 있으므로 연주 시차가 매우 작다. 그러므로 ❼[　　　　] 단위를 사용한다.

❹ 6개월
❺ 시차

❻ 먼

❼ 초(″)

기초 확인 문제

01 다음 설명에서 빈칸에 알맞은 말을 쓰시오.

(1) 관측자의 위치에 따라 물체의 겉보기 방향이 달라지는 정도를 각도로 나타낸 것을 (   )라고 한다.

(2) 지구에서 6개월 간격으로 별을 관측했을 때 나타나는 시차의 절반에 해당하는 값을 (   )라고 한다.

02 시차와 연주 시차에 대한 설명 중 옳은 것은 ○, 옳지 <u>않은</u> 것은 × 표 하시오.

(1) 멀리 떨어진 물체일수록 시차가 크다.   (   )

(2) 시차를 측정하면 거리를 알아낼 수 있다.

(   )

(3) 연주 시차는 시차의 절반에 해당한다.   (   )

(4) 별의 연주 시차는 지구에서 1년 간격으로 별을 관측하여 알 수 있다.   (   )

03 시차와 연주 시차에 대한 설명으로 옳은 것을 〈보기〉에서 모두 고르시오.

┌ 보기 ├
ㄱ. 연주 시차는 초($''$) 단위를 사용한다.
ㄴ. 멀리 떨어진 별일수록 연주 시차가 크다.
ㄷ. 시차는 물체의 실제 움직임 때문에 나타난다.
ㄹ. 연주 시차는 지구가 태양 주위를 공전하기 때문에 나타난다.

(   )

[04~05] 그림은 지구의 위치에 따른 별의 겉보기 방향과 연주 시차를 나타낸 것이다.

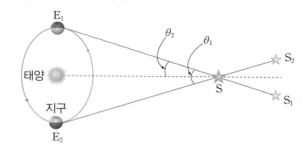

04 지구가 E_1에서 E_2까지 이동하는 데 걸리는 시간은?

(   )

05 θ_1과 θ_2가 각각 의미하는 것이 무엇인지 쓰시오.

θ_1: (   ), θ_2: (   )

06 지구로부터 별까지의 거리가 가까울수록 커지는 값을 〈보기〉에서 모두 고르시오.

┌ 보기 ├
ㄱ. 시차
ㄴ. 지구의 공전 속도
ㄷ. 연주 시차
ㄹ. 태양과 지구 사이의 거리

(   )

교과서 **핵심 정리** ②

개념 3 │ 별의 거리 단위

1. 별의 거리 단위

① 1 pc(파섹): [❶   ] 가 1″인 별까지의 거리

② 1 LY(광년): 빛이 [❷   ] 동안 가는 거리 (1 pc = 약 [❸   ] LY)

③ 1 AU(천문단위): 지구와 [❹   ] 사이의 평균 거리 (1 AU = 약 1.5×10^8 km)

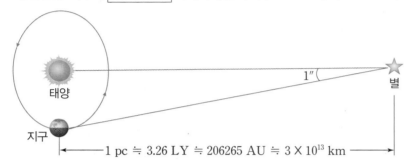

$$1 \text{ pc} \fallingdotseq 3.26 \text{ LY} \fallingdotseq 206265 \text{ AU} \fallingdotseq 3 \times 10^{13} \text{ km}$$

❶ 연주 시차

❷ 1년

❸ 3.26

❹ 태양

개념 4 │ 연주 시차와 거리의 관계

1. 별의 연주 시차와 거리의 관계

① 연주 시차의 단위를 [❺   ], 별까지의 거리의 단위를 [❻   ] 으로 나타내면 다음과 같은 관계가 성립한다.

$$별까지의 \ 거리(\text{pc}) = \frac{1}{연주 \ 시차(″)}$$

② 대부분의 별은 지구에서 매우 멀리 떨어져 있기 때문에 연주 시차를 측정하기가 어렵다. 따라서 연주 시차는 비교적 [❼   ] 거리에 있는 별까지의 거리를 구할 때 활용할 수 있다.

❺ 초(″)

❻ 파섹(pc)

❼ 가까운

2. 연주 시차를 측정할 수 있는 거리에 있는 주요 별의 연주 시차와 별까지의 거리

별	연주 시차(″)	별까지의 거리(pc)
프록시마 센타우리	0.77	1.3
시리우스	0.38	2.6
알타이르(견우성)	0.19	5.1
베가(직녀성)	0.13	7.8
스피카	0.013	80

07 다음 ㉠~㉢이 설명하는 별까지의 거리 단위를 쓰시오.

> ㉠: 빛이 1년 동안 가는 거리
> ㉡: 연주 시차가 1″인 별까지의 거리
> ㉢: 지구와 태양 사이의 평균 거리

㉠: (   )

㉡: (   )

㉢: (   )

09 지구에서 관측한 어느 별 S의 연주 시차가 0.1″일 때, 별 S가 지구로부터 떨어진 거리는?

① 1 pc   ② 5 pc

③ 10 pc   ④ 50 pc

⑤ 100 pc

10 표는 지구로부터 별 A, B, C까지의 거리를 각각 다른 단위로 나타낸 것이다. 거리가 먼 별부터 차례대로 기호를 쓰시오.

별	거리
A	4 AU
B	6.52 광년
C	3.26 pc

(   )

08 별까지의 거리에 대한 설명으로 옳은 것을 〈보기〉에서 모두 고르시오.

> ┌ 보기 ┐
> ㄱ. 1 pc(파섹)은 약 3.26 광년이다.
> ㄴ. 대부분의 별은 지구에서 매우 멀리 떨어져 있지만, 연주 시차로 거리를 전부 구할 수 있다.
> ㄷ. 별의 연주 시차가 클수록 지구로부터 별까지의 거리는 가깝다.
> ㄹ. 별의 연주 시차를 측정하기 위해서는 하루 동안 별의 위치 변화를 추적해야 한다.

(   )

11 표는 지구에서 비교적 가까운 거리에 있는 별들의 연주 시차를 나타낸 것이다. 지구로부터 거리가 가장 가까운 별의 이름을 쓰시오.

별	연주 시차(″)
스피카	0.013
알타이르	0.19
시리우스	0.38

(   )

대표 예제 1 시차와 거리

시차와 거리에 대한 설명으로 옳은 것을 〈보기〉에서 모두 고르시오.

┌─ 보기 ┐
ㄱ. 시차는 관측 위치에 따른 겉보기 방향 변화 정도이다.
ㄴ. 관측자로부터 거리가 멀어지면 시차는 커진다.
ㄷ. 물체의 시차와 거리는 서로 비례 관계이다.
ㄹ. 측정한 시차를 이용하여 물체까지의 거리를 알 수 있다.

(   )

개념 가이드 ----------------------------

어떤 물체의 시차를 알면, 직접 측정하지 않고도 그 물체까지의 ☐ 를 알아낼 수 있다. **답** 거리

대표 예제 2 시차와 연주 시차

별의 시차에 대한 설명으로 옳은 것을 〈보기〉에서 모두 고르시오.

┌─ 보기 ┐
ㄱ. 시차가 커질수록 연주 시차는 작아진다.
ㄴ. 지구가 태양 주위를 공전한다는 증거이다.
ㄷ. 별이 6개월 간격으로 움직이므로 나타나는 현상이다.
ㄹ. 지구에서 멀리 떨어진 별일수록 시차가 작게 나타난다.

(   )

개념 가이드 ----------------------------

연주 시차는 ☐ 의 절반에 해당하는 값이다. **답** 시차

대표 예제 3 별의 시차와 거리의 관계

그림은 망원경을 이용하여 일정 기간 간격으로 찍은 두 별 A와 B의 위치를 나타낸 것이다. 두 별 중에서 지구로부터 거리가 더 먼 별의 기호를 쓰시오.

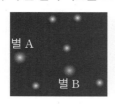 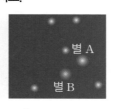

(   )

개념 가이드 ----------------------------

별의 연주 시차는 거리가 ☐ 별일수록 작다. 따라서 연주 시차와 거리는 서로 ☐ 관계이다. **답** 먼, 반비례

대표 예제 4 별의 연주 시차

그림은 지구에서 6개월 간격으로 관측한 별 S의 모습을 나타낸 것이다. 별 S의 연주 시차를 구하시오.

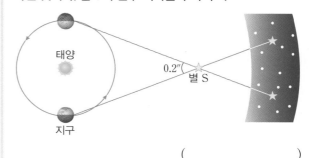

(   )

개념 가이드 ----------------------------

별은 매우 멀리 떨어져 있어서 연주 시차는 매우 ☐ 으므로 ☐ 단위를 사용한다. **답** 작, 초(″)

대표 예제 5 별의 연주 시차와 거리

별의 연주 시차 및 거리 대한 설명으로 옳은 것을 〈보기〉에서 모두 고르시오.

┌ 보기
ㄱ. 연주 시차는 별의 온도에 비례한다.
ㄴ. 1 광년은 1 AU보다 큰 거리의 단위이다.
ㄷ. 1 pc은 연주 시차가 1″인 별까지의 거리이다.
ㄹ. 우주에 분포하는 모든 별까지의 거리는 연주 시차를 통해 알 수 있다.

(   )

개념 가이드

별의 연주 시차가 생기는 까닭은 지구가 태양 주위를 ☐ 하기 때문이다.
답 공전

대표 예제 6 별의 연주 시차와 거리

지구로부터 가장 먼 거리에 있는 별을 〈보기〉에서 고르시오.

┌ 보기
ㄱ. 시차가 1″인 별
ㄴ. 지구로부터 거리가 2 pc인 별
ㄷ. 연주 시차가 0.2″인 별
ㄹ. 지구에서 3.26 광년 떨어져 있는 별

(   )

개념 가이드

1 광년(LY)은 빛이 ☐ 동안 가는 거리로, 1 파섹(pc)은 ☐ 광년과 같다.
답 1년, 3.26

대표 예제 7 별의 연주 시차와 거리의 관계

연주시차가 0.5″인 별까지의 거리는 몇 pc(파섹)인지 구하시오.

(   )

개념 가이드

별의 연주 시차의 단위를 ☐ , 별까지의 거리의 단위를 ☐ 으로 나타내면 별까지의 거리는 연주 시차의 역수와 같다.
답 ″(초), pc(파섹)

대표 예제 8 별의 연주 시차와 거리의 관계

표는 지구에서 측정한 여러 별의 연주 시차를 나타낸 것이다. 지구로부터 거리가 먼 별부터 순서대로 나열하시오.

별	시리우스	아크투루스	직녀성	견우성
연주 시차(″)	0.37	0.09	0.13	0.19

(   )

개념 가이드

연주 시차는 비교적 가까이 있는 별까지의 ☐ 를 구할 때 활용할 수 있다.
답 거리

그림으로 개념 잡기

별의 밝기와 거리

거리가 3배로 멀어지면 같은 양의 별빛이 가로 3배, 세로 3배만큼 넓은 영역으로 퍼지니까 $\frac{1}{9}$배만큼 어두워지는 거야.

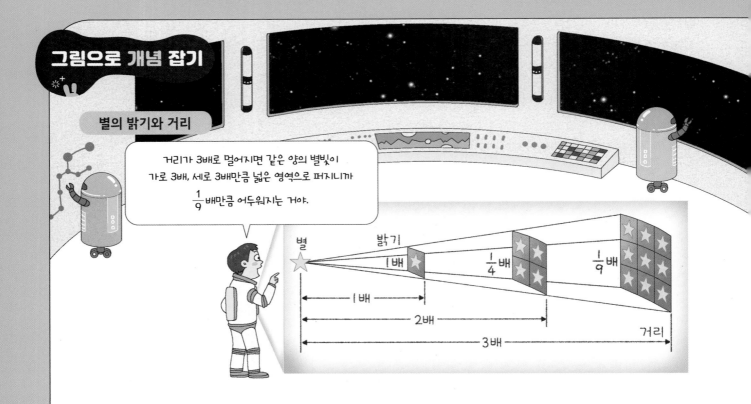

별의 겉보기 등급

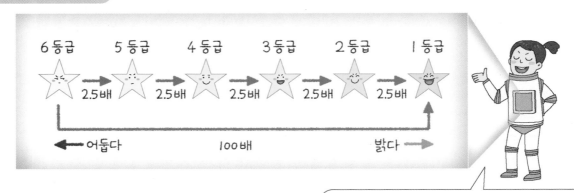

등급이 하나 낮아질 때마다 밝기는 2.5배씩 차이가 나. 그래서 5등급 차이는 2.5^5 즉 100배 차이가 나지.

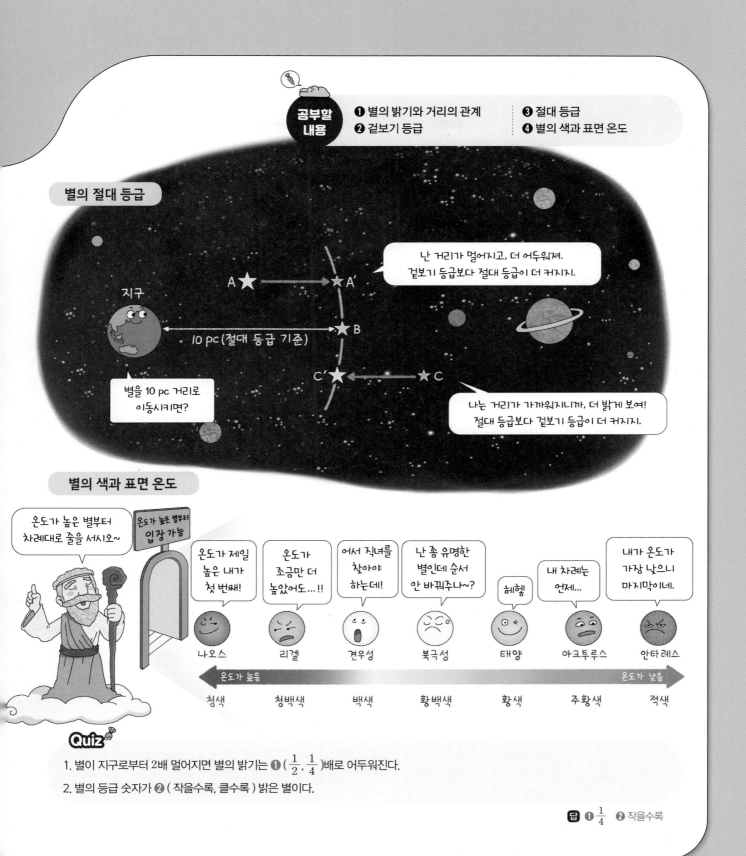

별의 절대 등급

난 거리가 멀어지고, 더 어두워져.
겉보기 등급보다 절대 등급이 더 커지지.

A ★ → ★ A'

지구

★ B

10 pc (절대 등급 기준)

C' ★ ← ★ C

별을 10 pc 거리로 이동시키면?

나는 거리가 가까워지니까, 더 밝게 보여!
절대 등급보다 겉보기 등급이 더 커지지.

별의 색과 표면 온도

온도가 높은 별부터 차례대로 줄을 서시오~

온도가 높은 별부터 입장 가능

온도가 제일 높은 내가 첫 번째!

온도가 조금만 더 높았어도...!!

어서 직녀를 찾아야 하는데!

난 좀 유명한 별인데 순서 안 바꿔주나~?

헤헹

내 차례는 언제...

내가 온도가 가장 낮으니 마지막이네.

나오스   리겔   견우성   북극성   태양   아크투루스   안타레스

← 온도가 높음   온도가 낮음 →

청색   청백색   백색   황백색   황색   주황색   적색

Quiz

1. 별이 지구로부터 2배 멀어지면 별의 밝기는 ❶ ($\frac{1}{2}$, $\frac{1}{4}$)배로 어두워진다.

2. 별의 등급 숫자가 ❷ (작을수록, 클수록) 밝은 별이다.

답 ❶ $\frac{1}{4}$ ❷ 작을수록

3일 교과서 핵심 정리 ①

개념 1 별의 밝기와 거리의 관계

1. 밝기와 거리의 관계
① 별의 밝기는 거리의 **❶** 에 반비례한다.

② 거리가 2배, 3배로 멀어지면 밝기는 $\frac{1}{4}$배, $\frac{1}{9}$배로 줄어든다.

$$별의 밝기 \propto \frac{1}{별까지의 거리^2}$$

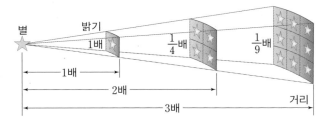

2. 별이 밝게 보이는 경우
① 별의 표면에서 많은 빛을 방출하여 밝게 보이는 경우

② 거리가 가까워서 밝게 보이는 경우

→ 별의 **❷** 를 비교하려면 거리에 따른 차이를 고려해야 한다.

개념 2 겉보기 등급

1. 별의 등급
① 별의 밝기는 **❸** 으로 표시하며, 등급의 숫자가 **❹** 밝은 별

② 1 등급 차이는 약 2.5배의 밝기 차 → 5 등급 차이는 100배의 밝기 차

2. 겉보기 등급
① 우리 **❺** 에 보이는 별의 밝기를 상대적으로 비교하여 나타낸 등급

② 등급 수치가 클수록 **❻** 보이는 별

③ 별까지의 **❼** 는 고려하지 않고, 지구에서 보이는 상대적 밝기를 비교

예 태양은 실제로 우주에서 가장 밝은 별이 아니지만, 지구에서 가장 가까운 별이기 때문에 약 −26.8 등급으로 가장 밝게 보인다.

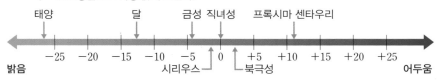

❶ 제곱

❷ 실제 밝기

❸ 등급
❹ 작을수록

❺ 눈
❻ 어둡게
❼ 거리

기초 확인 문제

정답과 해설 **28쪽**

01 별의 밝기와 거리의 관계에 대한 설명에서 빈칸에 알맞은 말을 쓰시오.

(1) 별까지의 거리가 멀어질수록 별의 밝기는
(   ), 거리가 2배로 멀어지면 밝기는
(   )배로 줄어든다.

(2) 별들 사이의 실제 밝기를 비교하려면 (   )에 따른 차이를 고려해야 한다.

02 별의 겉보기 등급에 대한 설명 중 옳은 것은 ○, 옳지 않은 것은 ×표 하시오.

(1) 등급의 숫자가 클수록 밝은 별이다. (   )

(2) 관측자에게 보이는 별의 밝기를 상대적으로 비교하여 나타낸 것이다. (   )

(3) 별까지의 실제 거리를 고려하여 나타낸다.
(   )

(4) 겉보기 등급이 0등급인 별은 1등급인 별에 비해 2.5배 밝다. (   )

03 별의 밝기에 대한 설명으로 옳은 것을 〈보기〉에서 모두 고르시오.

┌─ 보기 ┐
ㄱ. 어두운 별일수록 지구에서 멀리 떨어져 있다.
ㄴ. 별의 밝기는 별까지 거리의 제곱에 비례한다.
ㄷ. 겉보기 등급이 작은 별일수록 지구에서 밝게 보인다.
ㄹ. 태양은 지구에서 보이는 별 중에서 겉보기 등급이 가장 작다.

(   )

04 표는 지구에서 관측한 별 A와 B의 겉보기 등급을 나타낸 것이다. 별 A와 B의 상대적인 밝기는 몇 배 차이가 나는지 쓰시오.

별	겉보기 등급
A	4 등급
B	−1 등급

(   )

05 지구로부터 거리가 3 pc만큼 떨어져 있는 어느 별의 거리가 1 pc으로 가까워지면 이 별의 밝기는 어떻게 변하는지 쓰시오.

(   )

06 별의 겉보기 등급을 결정할 때 고려하지 <u>않는</u> 것을 〈보기〉에서 모두 고르시오.

┌─ 보기 ┐
ㄱ. 별의 색깔
ㄴ. 겉보기 밝기
ㄷ. 별까지의 거리
ㄹ. 상대적 밝기

(   )

3일 교과서 **핵심 정리** ②

개념 3 절대 등급

1. 절대 등급

① 별들의 실제 밝기를 비교하려면 [**❶**   ]에 있을 때의 밝기를 알아야 한다.

② 절대 등급은 별이 지구로부터 [**❷**   ]의 거리에 있다고 가정할 때의 등급이다.

2. 겉보기 등급과 절대 등급의 관계

① 거리가 10 pc보다 [**❸**   ]별: 겉보기 등급 > 절대 등급

② 거리가 10 pc보다 [**❹**   ]별: 겉보기 등급 < 절대 등급

③ 거리가 10 pc인 별: 겉보기 등급 = 절대 등급

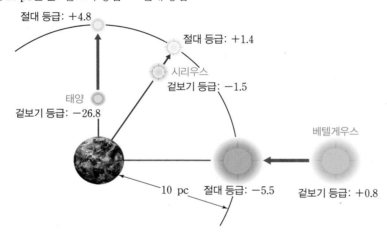

개념 4 별의 색과 표면 온도

1. 별의 색이 다른 이유 별의 [**❺**   ]가 다르기 때문

2. 별의 색과 표면 온도의 관계

① 표면 온도가 낮을수록 [**❻**   ]을 띠고, 표면 온도가 높아짐에 따라 점차 황색과 백색을

거쳐 [**❼**   ]을 띤다.

② 태양은 황색 별로 표면 온도가 적색 베텔게우스보다 높고, 청색 리겔보다 낮다.

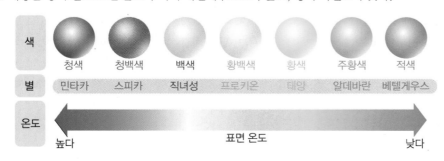

❶ 같은 거리

❷ 10 pc

❸ 먼

❹ 가까운

❺ 표면 온도

❻ 적색

❼ 청색

07 별의 절대 등급에 대한 설명 중 옳은 것은 ○, 옳지 <u>않은</u> 것은 ×표 하시오.

(1) 별의 실제 밝기를 비교할 수 있다.　(　　)

(2) 겉보기 등급이 작으면 절대 등급도 작다.

(　　)

(3) 지구로부터 10 pc 떨어진 별의 절대 등급은 겉보기 등급과 같다.　(　　)

(4) 태양의 절대 등급은 겉보기 등급보다 작다.

(　　)

08 별의 거리와 절대 등급 사이의 관계에 대한 설명에서 ㉠, ㉡에 알맞은 말을 쓰시오.

> • 거리가 10 pc보다 가까운 별의 절대 등급은 겉보기 등급보다 ㉠(　　　).
> • 거리가 10 pc보다 먼 별의 절대 등급은 겉보기 등급보다 ㉡(　　　).

㉠: (　　　　　), ㉡: (　　　　　)

09 표는 별 A~C의 겉보기 등급과 절대 등급을 나타낸 것이다. 지구로부터의 거리가 10 pc인 별의 기호를 쓰시오.

구분	A	B	C
겉보기 등급	3.5	2.1	−3.2
절대 등급	1.7	2.1	0.7

(　　　　　)

10 그림은 대표적인 별의 색과 이름을 나타낸 것이다. 이에 대한 설명으로 옳은 것을 〈보기〉에서 모두 고르시오.

색	청색	청백색	백색	황백색	황색	주황색	적색
별	민타카	스피카	직녀성	프로키온	태양	알데바란	베텔게우스

┌ 보기 ├
ㄱ. 베텔게우스는 스피카보다 표면 온도가 높다.
ㄴ. 알데바란은 직녀성보다 표면 온도가 낮다.
ㄷ. 프로키온은 민타카보다 밝게 보이는 별이다.
ㄹ. 태양은 프로키온에 비해 절대 등급이 크다.

(　　　　　)

11 표는 별 A~D의 색을 관찰하여 기록한 것이다. 표면 온도가 가장 높은 별부터 차례대로 기호를 쓰시오.

별	A	B	C	D
색	적색	백색	황색	청색

(　　　　　)

대표 예제 **1**　별의 밝기와 거리의 관계

그림은 별의 밝기와 거리의 관계를 나타낸 것이다. 별까지의 거리가 5배로 멀어지면 별의 밝기는 어떻게 달라지는지 서술하시오.

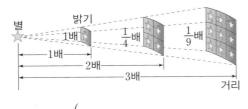

(　　　　　　　　　　　　)

🧭 **개념 가이드**

별까지의 거리가 2배, 3배로 멀어지면 밝기는 □배, □배로 줄어든다.

답 $\frac{1}{4}$, $\frac{1}{9}$

대표 예제 **2**　별의 등급

표는 별 A~E의 겉보기 등급과 절대 등급을 나타낸 것이다. 별 A~E 중 지구로부터 10 pc보다 멀리 떨어져 있는 것을 모두 고르시오.

별	A	B	C	D	E
겉보기 등급	2.0	0.8	−0.1	−1.5	1.3
절대 등급	−3.7	2.2	0.3	1.4	−6.9

(　　　　　　　　　　　　)

🧭 **개념 가이드**

겉보기 등급은 지구의 관측자가 보는 별의 □ 밝기를 등급으로 나타낸 것으로, 등급 수치가 □ 밝게 보이는 별이다.

답 상대적, 작을수록

대표 예제 **3**　별의 밝기와 등급

다음 빈칸에 들어갈 알맞은 말을 쓰시오.

> 별의 (　　　　)를 비교하기 위해서는 지구로부터 같은 거리에 있을 때의 밝기를 비교해야 한다. 이때, 별이 지구로부터 10 pc 거리에 있다고 가정할 때의 등급을 이용하는데, 이 등급을 (　　　　)이라고 한다.

🧭 **개념 가이드**

겉보기 등급과 절대 등급이 같은 별은 지구로부터 □만큼 떨어진 거리에 있다.

답 10 pc

대표 예제 **4**　별의 밝기와 등급

별의 밝기와 등급에 대한 설명으로 옳은 것을 〈보기〉에서 모두 고르시오.

┌ 보기 ┐
ㄱ. 겉보기 등급이 2등급인 별은 5등급인 별보다 어둡다.
ㄴ. 겉보기 등급이 6등급보다 큰 별은 없다.
ㄷ. 연주 시차가 0.1″이고, 겉보기 등급이 3등급인 별의 절대 등급은 3등급이다.
ㄹ. 겉보기 등급이 1등급인 별은 겉보기 등급이 6등급인 별보다 100배 밝게 보인다.

(　　　　　　　　　　　　)

🧭 **개념 가이드**

1등급 사이에는 약 □배의 밝기 차이가 나므로 겉보기 등급이 5등급만큼 차이 나는 별의 밝기 차이는 □배이다.

답 2.5, 100

대표 예제 **5** 겉보기 등급과 절대 등급의 관계

표는 여러 별들의 겉보기 등급과 절대 등급을 나타낸 것이다. 지구로부터 거리가 가장 먼 별과 가장 가까운 별을 순서대로 쓰시오.

별	겉보기 등급	절대 등급
태양	−26.8	4.8
시리우스	−1.5	1.4
베텔게우스	0.8	−5.5

( )

🧭 **개념 가이드** -

겉보기 등급에서 절대 등급을 뺀 값이 작을수록 별까지의 거리는 [ ]. 🅣 가깝다

대표 예제 **6** 겉보기 등급과 절대 등급

다음은 별 A와 B에 대해 관측한 결과를 기록한 것이다. 별 A와 B의 절대 등급을 순서대로 쓰시오.

> • 별 A: 연주 시차가 0.1″이고, 겉보기 등급이 3 등급이다.
> • 별 B: 지구로부터 100 pc 떨어진 거리에 있고, 겉보기 등급은 6 등급이다.

( )

🧭 **개념 가이드** -

겉보기 등급이 2 등급인 별까지의 거리가 현재의 10배로 멀어지면 겉보기 등급은 [ ]이 된다. 🅣 7 등급

대표 예제 **7** 별의 색과 표면 온도

표는 여러 별의 색을 나타낸 것이다. 표면 온도가 높은 별부터 차례대로 나열하시오.

별	민타카	태양	시리우스	알데바란
색	파란색	노란색	백색	주황색

( )

🧭 **개념 가이드** -

태양은 노란색(황색) 별로, 표면 온도가 붉은색(적색) 별보다 [ ], 파란색(청색) 별보다 [ ]. 🅣 높고, 낮다

대표 예제 **8** 별의 색과 표면 온도

그림은 오리온자리의 모습을 나타낸 것이다. 오리온자리를 이루는 별들 중 베텔게우스는 붉은색, 리겔은 파란색을 띤다. 베텔게우스와 리겔의 표면 온도를 비교하여 서술하시오.

( )

🧭 **개념 가이드** -

별의 색은 [ ]에 따라 달라지고, 별의 밝기와는 상관이 없다. 🅣 표면 온도

그림으로 개념 잡기

우리은하

우리은하를 위에서 본 모습

태양계

주변부 나선팔에는 별이 나선 모양으로 분포해 있어.

우리은하를 옆에서 본 모습

태양계

M4(구상 성단)

성단

플레이아데스 성단(산개 성단)

우리은하의 중심부는 별이 막대 모양으로 밀집해 있고,

수십~수만 개의 별이 일정한 모양 없이 모여 있는 걸 보니 저건 산개 성단이야.

태양계는 은하 중심으로부터 3만 광년 정도 떨어져 있지.

구상 성단이네~ 수만~수십만 개의 별이 공 모양으로 빽빽하게 모여 있지!

공부할 내용
❶ 은하수
❷ 우리은하의 모양
❸ 성단
❹ 성운

M78(반사 성운)

성운

버나드 68(암흑 성운)

주변의 별빛을 반사해서 주로 파란색으로 보이는 반사 성운이다~

장미성운(방출 성운)

왈왈~

시커멓게 보이는 저건 뒤에서 오는 별빛을 가로막고 있는 암흑 성운이군.

방출 성운은 주변의 별빛을 흡수해서 가열되면서 스스로 빛을 내지!

Quiz

1. 은하 중에서 태양계가 포함되어 있는 은하를 ❶ (은하수, 우리은하)라고 한다.

2. 산개 성단은 주로 ❷ (파란색, 붉은색) 별로 이루어져 있다.

답 ❶ 우리은하 ❷ 파란색

4일 교과서 **핵심 정리** ①

개념 1 은하수

1. 은하수 지구에서 관측한 우리은하 일부분의 모습으로, 뿌연 띠 모양으로 보임.

　① 제주도에서는 용이 노는 냇물이라는 의미로 '미리내'라고 불렀다.

　② 천상열차분야지도에 둥근 띠 모양의 ❶[　　　　]가 잘 나타나 있다.

　③ 맑은 날 불빛이 없는 어두운 곳에서 잘 보인다.

　　　▲ 천상열차분야지도　　　　　　　　　　▲ 밤하늘에서 관측한 은하수

❶ 은하수

개념 2 우리은하의 모양

1. 은하 우주 공간에 있는 수많은 ❷[　　　　]로 이루어진 거대한 천체 집단

2. 우리은하 ❸[　　　　]가 속해 있는 은하

3. 우리은하의 모양

　① 위에서 보면 별들이 밀집해 있는 ❹[　　　　]모양의 중심부가 있고, 그 주변에는 별들이 나

　　선 모양으로 분포하는 ❺[　　　　]이 있다.

　② 옆에서 보면 중심부가 부풀어 있는 납작한 ❻[　　　　]모양이다.

4. 우리은하의 크기

　① 지름이 약 30 kpc으로, 약 2000억 개의 별들을 포함한다.

　② 태양계는 은하 중심에서 약 8.5 kpc 떨어진 ❼[　　　　]에 위치한다.

❷ 별
❸ 태양계

❹ 막대
❺ 나선팔
❻ 원반

❼ 나선팔

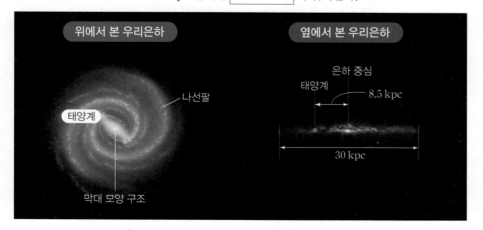

위에서 본 우리은하　　　　　　옆에서 본 우리은하

나선팔

태양계

막대 모양 구조

은하 중심

태양계　　8.5 kpc

30 kpc

기초 확인 문제

01 다음 설명에서 빈칸에 알맞은 말을 쓰시오.

(1) 희뿌연 띠 모양으로 지구에서 관측되는 우리은하 일부분의 모습을 (   )라고 한다.

(2) 우주 공간에 있는 수많은 별로 이루어진 거대한 천체 집단을 (   )라고 하며, 그중 태양계가 속해 있는 은하를 (   )라고 한다.

(3) 우리은하를 위에서 보면 별들이 밀집해 있는 막대 모양의 (   )가 있고, 그 주변에는 별들이 나선 모양으로 분포하는 (   )이 있다.

02 우리은하에 대한 설명 중 옳은 것은 ○, 옳지 <u>않은</u> 것은 ×표 하시오.

(1) 우리은하의 중심부는 막대 모양이다.   (   )

(2) 태양계는 우리은하의 중심부에 위치한다.
 (   )

(3) 우리은하를 옆에서 보면 전체적으로 부풀어 있는 타원 모양이다.   (   )

(4) 나선팔은 나선 모양으로 분포하며 중심부의 주변에 위치한다.   (   )

03 우리은하에 대한 설명으로 옳은 것을 〈보기〉에서 모두 고르시오.

┌ 보기 ┐
ㄱ. 약 2000억 개의 별들을 포함하고 있다.
ㄴ. 우리은하의 지름은 약 8.5 kpc이다.
ㄷ. 중심부에 막대 모양의 구조가 있다.
ㄹ. 은하수는 우리은하 일부의 모습이 지구에서 관측되는 것이다.

(   )

04 그림은 우리은하를 위에서 보았을 때의 모습을 나타낸 것이다. 우리은하에서 태양계가 위치하는 곳의 기호를 쓰시오.

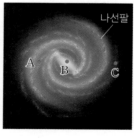

(   )

05 우리은하를 옆에서 보았을 때의 모양을 서술하시오.

(   )

4일 교과서 핵심 정리 ②

개념 3 | 성단

1. 성단 많은 수의 별들이 좁은 공간에 모여 **❶**[　　　]을 이루고 있는 천체

2. 성단의 종류 별이 모여 있는 **❷**[　　　]에 따라 산개 성단과 구상 성단으로 구분

3. 산개 성단
① 수십~수만 개의 별들이 일정한 모양 없이 모여 있는 성단
② 주로 **❸**[　　　]색의 젊은 별들로 구성되어 있다.
③ 대부분 우리은하의 나선팔에 분포한다.

4. 구상 성단
① 수만~수십만 개의 별들이 공 모양으로 빽빽하게 모여 있는 성단
② 주로 **❹**[　　　]색의 늙은 별들로 구성되어 있다.
③ 대부분 우리은하의 중심부와 은하 원반을 둘러싼 구형의 공간에 분포한다.

▲ 산개 성단

▲ 구상 성단

❶ 집단
❷ 모양
❸ 파란
❹ 붉은

개념 4 | 성운

1. 성간 물질 별과 별 사이의 넓은 공간에 희박하게 분포하는 기체와 먼지들

2. 성운 지역에 따라 **❺**[　　　]이 밀집되어 있어 마치 구름처럼 보이는 것으로, 주로 우리은하의 **❻**[　　　]에서 발견된다.

3. 성운의 종류
① 방출 성운: 근처에 있는 별로부터 에너지를 받아 온도가 높아져서 붉은색 빛을 내는 성운
② 반사 성운: 주변의 별빛을 **❼**[　　　]하여 주로 파란색으로 보이는 성운이다.
③ 암흑 성운: 성간 물질이 뒤에서 오는 별빛을 가려 **❽**[　　　]보이는 성운

❺ 성간 물질
❻ 나선팔
❼ 반사
❽ 검게

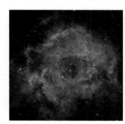
▲ 방출 성운

▲ 반사 성운

▲ 암흑 성운

기초 확인 문제

06 성단에 대한 설명에서 빈칸에 알맞은 말을 쓰시오.

(1) 많은 수의 별들이 좁은 공간에 모여 집단을 이루고 있는 천체를 (　　　　)이라고 한다.

(2) 성단에는 주로 파란색 별들로 이루어져 있는 (　　　　) 성단과 주로 붉은색 별들로 이루어져 있는 (　　　　) 성단이 있다.

07 성운에 대한 설명 중 옳은 것은 ○, 옳지 <u>않은</u> 것은 ✕표 하시오.

(1) 성간 물질은 별과 별 사이의 넓은 공간에 분포한다. (　　　)

(2) 성운은 주로 우리은하의 중심부에서 발견된다. (　　　)

(3) 암흑 성운은 주변의 별빛을 반사하여 푸른색으로 보인다. (　　　)

(4) 방출 성운은 붉은색 빛을 낸다. (　　　)

08 그림 (가), (나)는 두 종류의 성단을 나타낸 것이다. 각 성단의 종류를 쓰시오.

(가)

(나)

(가): (　　　　　), (나): (　　　　　)

09 성단에 대한 설명으로 옳은 것을 〈보기〉에서 모두 고르시오.

┌ 보기 ┐
ㄱ. 성단을 구성하는 별들의 수는 산개 성단보다 구상 성단이 더 많다.
ㄴ. 산개 성단은 대부분 우리은하의 나선팔에 분포한다.
ㄷ. 구상 성단을 구성하는 별들은 산개 성단을 구성하는 별들보다 대부분 표면 온도가 높다.
ㄹ. 구상 성단은 별들이 일정한 모양 없이 분포되어 있다.
└─────────────────────────┘

(　　　　　　　　)

10 그림 (가)~(다)는 세 종류의 성운을 나타낸 것이다. 이들 중에서 은하수의 가운데 부분을 검게 보이게 하는 성운의 기호를 쓰시오.

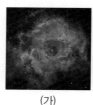
(가)

(나)

(다)

(　　　　　　　　)

대표 예제 **1** 은하수

밤하늘에서 관측되는 은하수에 대한 설명으로 옳은 것을 〈보기〉에서 모두 고르시오.

┌ 보기 ┐
ㄱ. 무수히 많은 별들의 집단으로, 띠 모양을 이루고 있다.
ㄴ. 겨울철보다 여름철에 넓고 선명하게 관측된다.
ㄷ. 은하수는 매우 밝으므로, 주변에 불빛이 있는 도시에서도 관측이 가능하다.

(   )

🧭 **개념 가이드**

은하수는 수많은 [   ]의 빛이 합쳐져서 [   ] 모양으로 보이는 것이다.   🔲 별, 띠

대표 예제 **2** 우리은하

우리은하에 대한 설명으로 옳은 것을 〈보기〉에서 모두 고르시오.

┌ 보기 ┐
ㄱ. 우리은하 밖에는 또 다른 외부 은하들이 있다.
ㄴ. 우리은하의 나선팔은 중심부로부터 구 형태로 뻗어 나온 모양을 하고 있다.
ㄷ. 은하수는 은하 중심에 있는 지구에서 바라본 우리은하의 모습이다.
ㄹ. 우리은하를 옆에서 보면 중심부가 부풀어 있다.

(   )

🧭 **개념 가이드**

우주 공간에는 수많은 은하가 존재하며, 그 중에서 [   ]가 속해 있는 은하를 우리은하라고 한다.   🔲 태양계

대표 예제 **3** 우리은하

그림은 우리은하를 위에서 본 모습을 나타낸 것이다. A~C 중 태양계의 위치로 알맞은 곳의 기호를 쓰시오.

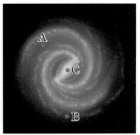

(   )

🧭 **개념 가이드**

우리은하를 위에서 보면 별들이 밀집해 있는 [   ] 모양의 중심부가 있고, 그 주변에는 별들이 나선 모양으로 분포하는 [   ]이 있다.   🔲 막대, 나선팔

대표 예제 **4** 우리은하의 특징

그림은 우리은하의 모습을 나타낸 것이다. 이에 대한 설명으로 옳은 것을 〈보기〉에서 모두 고르시오.

┌ 보기 ┐
ㄱ. (가)에서 출발한 빛이 (나)에 도착하는 데 약 3만 년이 걸린다.
ㄴ. 은하수는 d 방향으로 볼 때 가장 선명하다.
ㄷ. 우리은하를 옆에서 본 모습을 나타낸 것이다.

(   )

🧭 **개념 가이드**

우리은하를 옆에서 보면 [   ]가 부풀어 있는 납작한 [   ] 모양을 하고 있다.   🔲 중심부, 원반

대표 예제 5   성단의 종류

그림 (가)와 (나)는 우리은하에 포함되어 있는 성단의 모습을 나타낸 것이다. (가)와 (나) 성단의 종류를 쓰시오.

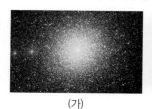
(가)

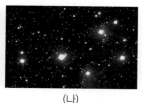
(나)

(가): (   ), (나): (   )

🧭 **개념 가이드**

성단은 별이 모여 있는 [   ]에 따라 산개 성단과 구상 성단으로 구분한다.

답 모양

대표 예제 6   성단의 특징

산개 성단과 비교하였을 때 구상 성단의 특징으로 옳은 것을 〈보기〉에서 모두 고르시오.

┌ 보기 ┐
ㄱ. 구성하는 별의 수가 더 많다.
ㄴ. 구성하는 별의 나이가 대체로 더 많다.
ㄷ. 구성하는 별의 표면 온도가 대체로 더 높다.
ㄹ. 주로 우리은하의 중심부에 많이 분포한다.

(   )

🧭 **개념 가이드**

산개 성단은 대부분 우리은하의 [   ]에 위치하는 반면, 구상 성단은 대부분 우리은하의 [   ]와 은하 원반을 둘러싼 구형의 공간에 분포한다.

답 나선팔, 중심부

대표 예제 7   성운의 분류와 특징

그림 (가)~(다)는 각각 방출 성운, 반사 성운, 암흑 성운의 모습을 나타낸 것이다. (가)~(다) 중에서 성운의 자체적인 에너지로 빛을 내는 성운의 기호를 쓰시오.

(가) 방출 성운

(나) 반사 성운

(다) 암흑 성운

(   )

🧭 **개념 가이드**

성운은 [   ]이 밀집되어 구름처럼 보이는 것으로, 주로 우리은하의 [   ]에서 발견된다.

답 성간 물질, 나선팔

대표 예제 8   성운의 특징

성운에 대한 설명으로 옳은 것을 〈보기〉에서 모두 고르시오.

┌ 보기 ┐
ㄱ. 성운이 공 모양으로 모여 구상 성단이 된다.
ㄴ. 수소, 헬륨, 먼지 등 성간 물질이 모여 만들어진다.
ㄷ. 주변의 별빛을 반사하여 밝게 보이는 성운을 반사 성운이라고 한다.
ㄹ. 주변의 별로부터 에너지를 받아 가열되어 스스로 빛을 내는 성운을 암흑 성운이라고 한다.

(   )

🧭 **개념 가이드**

암흑 성운은 뒤에서 오는 [   ]을 가려 검게 보이는 성운이다.

답 별빛

5일 과학 기술과 인류 문명

첨단 과학 기술 활용 사례

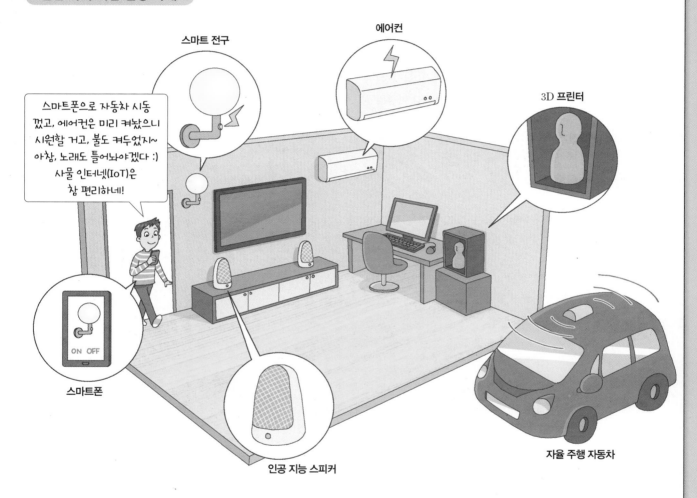

스마트 전구

에어컨

3D 프린터

스마트폰으로 자동차 시동
껐고, 에어컨은 미리 켜놨으니
시원할 거고, 불도 켜두었지~
아참, 노래도 틀어놔야겠다 :)
사물 인터넷(IoT)은
참 편리하네!

ON OFF

스마트폰

인공 지능 스피커

자율 주행 자동차

Quiz

1. 인류는 ❶ (철, 불)을 이용하여 광석에서 금속을 얻어 내는 기술을 발견하였고, 금속으로 여러 도구를 만들어 사용하기 시작했다.

2. 기계가 인간과 같은 지능을 가지는 것을 ❷ (사물 인터넷, 인공 지능)이라고 한다.

답 ❶ 불   ❷ 인공 지능

5일 교과서 핵심 정리 ①

개념 1 과학 기술과 문명의 관계

1. 과학 기술과 인류 문명의 발달

① 금속의 발견
- 불을 발견하고 사용함으로써 광석에서 **❶** 을 얻어내어 사용할 수 있게 됨.
- 오래 지속되었던 석기 시대에서 청동기, 철기 시대로 넘어가는 결정적 계기

② 증기 기관의 발명
- **❷** 를 사용하게 되면서 제품 생산량이 획기적으로 확대됨.
- 농업 사회에서 **❸** 사회로 변화 ➡ 산업 혁명의 원동력

③ 전기의 사용
- 발전기를 통해 전기 에너지를 생산하여 조명으로 밤에 불을 밝히기 시작
- 증기 기관 대신 **❹** 로 기계를 작동, 일상생활과 밀접하게 연결

2. 과학 기술이 가져온 변화

① 직업의 변화
- 산업 혁명으로 농업이나 어업 종사자 감소, 공업과 서비스업 종사자 증가
- 로봇 과학자, 컴퓨터 보안 전문가 등 새로운 **❺** 의 등장

② 문화와 예술에 영향
- 컴퓨터 그래픽 기술의 발달 ➡ 표현의 한계를 뛰어넘는 3D 영화 구현
- **❻** 과 음악, 미술이 융합된 새로운 예술 분야 등장

3. 과학 기술이 인류 문명 발달에 미친 영향

과학적 발견	기술의 발달	기기의 발명
▲ 암모니아의 합성 ▲ 페니실린의 발견	▲ 컴퓨터의 발명 ▲ 유전자 분석 기술	▲ 망원경의 발명 ▲ 현미경의 발명

개념 2 과학의 유용성

1. 첨단 과학 기술 활용의 예

유기 발광 다이오드(OLED)	인공 지능(AI)	사물 인터넷(IoT)
• 형광성 물질에 전류를 흘려 주면 스스로 빛을 내는 현상을 이용 • 매우 얇은 모니터나 구부러지는 스마트폰 화면 등에 사용	• 기계가 **❼** 과 같은 지능을 가지는 것 • 스마트폰의 인공 지능 비서, 인공 지능 스피커, 자율 주행 인공 지능 등에 사용	• 모든 사물을 **❽** 으로 연결하는 기술 • 사람과 사물 사이뿐 아니라 사물과 사물 사이에도 정보를 주고받을 수 있어 매우 편리

❶ 금속

❷ 기계
❸ 산업

❹ 전기

❺ 직업

❻ 과학 기술

❼ 인간
❽ 인터넷

기초 확인 문제

01 과학 기술과 인류 문명의 발달에 대한 설명에서 빈칸에 알맞은 말을 쓰시오.

(1) 인류는 불을 발견하고 사용한 덕분에 광석으로부터 (　　　　)을 얻어내어 사용할 수 있었다.

(2) (　　　　)의 발명은 산업 혁명의 원동력으로 작용했으며, 기계의 사용으로 제품 생산량이 획기적으로 증가하였다.

(3) 발전기를 통해 (　　　　) 에너지를 생산하여 밤에 조명을 환하게 켤 수 있게 되었다.

02 과학 기술이 가져온 변화에 대한 설명 중 옳은 것은 ○, 옳지 <u>않은</u> 것은 ×표 하시오.

(1) 증기 기관의 발명으로 농업 중심의 사회가 산업 사회로 변화했다. (　　　)

(2) 과학 기술은 음악과 미술에서 새로운 예술 분야가 등장하는 데 기여했다. (　　　)

(3) 발전기로 전기를 생산할 수 있었지만, 기계를 작동시키는 증기 기관을 대체할 수는 없었다. (　　　)

(4) 석기 시대에서 철기 시대로 넘어가게 된 계기를 과학 기술과의 관계로 설명할 수는 없다. (　　　)

03 그림은 과학 기술이 인류 문명 발달에 영향을 미친 몇 가지 예를 나타낸 것이다.

▲ 페니실린의 발견　　▲ 컴퓨터의 발명　　▲ 현미경의 발명

이에 대한 설명으로 옳은 것을 〈보기〉에서 모두 고르시오.

보기
ㄱ. 항생제인 페니실린을 발견하여 여러 질병을 치료할 수 있게 되었다.
ㄴ. 컴퓨터를 발명하여 복잡한 작업을 빠르고 편리하게 할 수 있게 되었다.
ㄷ. 현미경을 발명한 것은 기기의 발명 사례에 해당한다.
ㄹ. 현미경이 발명되면서 인류는 우주에 대한 생각을 혁명적으로 전환할 수 있었다.

(　　　　　　)

04 다음에서 설명하는 첨단 과학 기술을 쓰시오.

> 이것은 모든 사물을 인터넷으로 연결하는 기술로, 사람과 사물뿐만 아니라 사물과 사물 사이에도 정보를 주고받을 수 있어 매우 편리한 기술이다.

(　　　　　　)

5일 교과서 핵심 정리 ②

개념 3 과학 원리와 우리 생활

1. 레오나르도 다빈치의 창의적 아이디어

① 날개를 아래위로 움직여 나는 비행기, 공기 저항을 이용하는 낙하산, 오늘날의 헬리콥터와 같은 공중 스크루 등 놀라운 창의적 아이디어를 스케치하였다.

② 당시에는 엉뚱하고 실현 가능성이 없는 것처럼 보이던 창의적 상상들 중 오늘날에는 우리 생활에 유용하게 쓰이는 것들이 많다.

▲ 레오나르도 다빈치의 설계 스케치

2. 우리 생활 속 첨단 과학 기술의 예

스마트폰	3D 프린터	❷ 자동차
스마트폰 하나로 노트북 컴퓨터, 디지털카메라, MP3 플레이어 등 여러 기기의 기능을 활용 가능	3차원 도면으로 ❶ 적인 물건을 생성하며, 주로 제조업, 의료, 건설, 식품 등에 활용	사람이 직접 자동차를 운전하지 않아도 센서와 카메라가 주변 상황을 인식하여 스스로 주행

❶ 입체

❷ 자율 주행

개념 4 공학적 설계

1. 과학을 활용한 생활 제품 고안하기

정의하기
해결하고 싶은 문제나 상황을 정의

최적화하기
해결책을 비교하여 시험하고 평가

해결책 찾기
가능성 있는 해결책을 모형이나 그림으로 표현

▲ 창의적 설계 방법의 3단계

- 창의적 설계 방법은 항상 순서대로 진행되지는 않으며, 경우에 따라서는 ❸   를 바꿀 수 있다. 또한 최종 제품의 완성도를 높이기 위해 창의적 설계 방법의 3단계는 계속 ❹   되는 것이 일반적이다.

❸ 순서

❹ 반복

2. 과학 기술의 사회적 영향과 윤리적 측면

① 과학 기술의 발달로 우리 삶은 풍요롭고 편리해졌지만, 환경 오염, 에너지 부족, 교통난, 개인의 사생활 침해와 같은 문제가 등장하였다.

② 새로운 과학 기술에 대해 유용성뿐 아니라 ❺   적인 영향과 ❻   적인 측면 등을 신중하게 고려해야 한다.

❺ 사회

❻ 윤리

기초 확인 문제

05 과학 원리와 우리 생활에 대한 설명 중 옳은 것은 ○, 옳지 않은 것은 ×표 하시오.

(1) 엉뚱하고 실현 가능성이 없을 것처럼 보이는 상상이 미래에는 생활에서 유용하게 쓰일 수 있다.
( )

(2) 과학 기술의 발달은 인류가 직면한 모든 문제를 해결해 줄 수 있다. ( )

(3) 첨단 과학 기술은 이전의 전통적인 과학 기술과는 구별되는 새로운 과학 기술이다. ( )

06 창의적 설계 방법의 세 단계와 그에 대한 설명을 연결하시오.

(1) 정의하기 •

(2) 최적화하기 •

(3) 해결책 찾기 •

• ㉠ 해결책을 비교하여 시험하고 평가한다.

• ㉡ 가능성 있는 해결책을 모형이나 그림으로 표현한다.

• ㉢ 해결하고 싶은 문제나 상황을 정의한다.

07 과학을 활용하여 생활 제품을 고안하기 위한 창의적 설계 방법에 대한 설명으로 옳지 <u>않은</u> 것은?

① 항상 순서대로 진행되지는 않는다.

② 일반적으로 세 단계를 각각 한 번씩만 진행한다.

③ 이 과정을 통해 최종 제품의 완성도를 높여 간다.

④ 과학 원리나 기술을 활용하는 창의적인 과정이다.

⑤ 기존의 제품을 개선하거나 새로운 제품을 개발한다.

08 다음에서 설명하는 첨단 과학 기술이 무엇인지 쓰시오.

이것은 사람이 직접 자동차를 운전하지 않아도 센서와 카메라가 주변의 상황을 인식하여 자동차가 스스로 주행할 수 있는 기술이다.

( )

09 다음 설명에서 ㉠, ㉡에 알맞은 말을 쓰시오.

과학 기술의 발달로 우리 삶은 풍요롭고 편리해졌다. 그러나 한편으로는 환경 오염, 에너지 부족, 개인의 사생활 침해와 같은 문제도 등장하였다. 이와 같이 과학 기술의 발달은 우리 생활에 유용하지만 동시에 새로운 문제를 일으킬 수도 있다. 그러므로 새로운 과학 기술에 대해 유용성뿐 아니라 ㉠( )적인 영향과 ㉡( )적인 측면 등을 신중하게 고려해야 한다.

㉠: ( ), ㉡: ( )

대표 예제 1 과학 기술과 문명의 관계

증기 기관의 발명으로 우리 생활에 일어난 변화를 〈보기〉에서 모두 고르시오.

┌ 보기
ㄱ. 농업 중심의 사회로 변화하였다.
ㄴ. 공장에서 일하는 사람의 수가 줄고 가축을 키우는 사람의 수가 늘었다.
ㄷ. 동물과 사람이 하던 일을 기계가 대신하게 되었다.

(   )

🧭 **개념 가이드**

증기 기관이 발명되면서 기계를 사용하여 제품의 □□□이 획기적으로 증가하였다.   🔑 생산량

대표 예제 2 과학 기술과 인류 문명

다음 □□□ 안에 들어갈 알맞은 말을 쓰시오.

인류가 불을 사용하게 되면서 광석으로부터 □□을 얻어내어 사용할 수 있게 되었고, 이를 결정적 계기로 인류는 오랫동안 머물던 석기 시대에서 청동기, 철기 시대로 넘어오게 되었다.

(   )

🧭 **개념 가이드**

금속의 사용으로 철제 농기구를 사용함으로써 □□□이 증대되었고, 인류의 □□□이 크게 향상되었다.   🔑 농업 생산량, 생활 수준

대표 예제 3 과학의 유용성

다음에서 설명하고 있는 기술이 무엇인지 쓰시오.

- 형광성 물질에 전류를 흘려주면 스스로 빛을 내는 현상을 이용한 기술
- 구부러지거나 접는 스마트폰 화면, 매우 얇은 벽면 부착형 TV 또는 모니터 등에 사용 가능한 기술

(   )

🧭 **개념 가이드**

과학 기술의 발달은 인간 생활의 편의성을 증대시키고, 사회 체제 변화의 계기가 되는 등 □□□□의 발달에 큰 영향을 주었다.   🔑 인류 문명

대표 예제 4 과학 기술과 인류 문명 발달

다음에서 설명하고 있는 것이 무엇인지 〈보기〉에서 고르시오.

미세한 세계에 대한 연구가 가능하게 되어 의학의 발전을 가져왔다.

┌ 보기
ㄱ. 페니실린의 발견   ㄴ. 유전자 분석 기술
ㄷ. 망원경의 발명   ㄹ. 현미경의 발명

(   )

🧭 **개념 가이드**

과학 기술이 인류 문명의 발달에 미친 영향은 암모니아 합성과 같은 과학적 발견, 컴퓨터의 발명과 같은 □□□의 발달, 망원경의 발명과 같은 □□□의 발명으로 구분할 수 있다.   🔑 기술, 기기

대표 예제 **5** 과학 원리와 우리 생활

스마트폰에 대한 설명으로 적절한 것을 〈보기〉에서 모두 고르시오.

┌ 보기 ├
ㄱ. 과학, 기술, 공학, 예술 분야가 결합된 기기이다.
ㄴ. 디지털카메라, GPS, 무선 인터넷, 지문 인식 등의 기술이 복합적으로 적용되었다.
ㄷ. 스마트폰 배터리는 생명 과학 기술과 예술의 결합체이다.

(   )

🧭 **개념 가이드**

인류 문명의 발달에는 창의적인 [   ]이 매우 중요하다.

🔲 상상력

대표 예제 **6** 첨단 과학 기술

나노 기술에 대한 설명으로 옳은 것을 〈보기〉에서 모두 고르시오.

┌ 보기 ├
ㄱ. 그래핀: 매우 얇고 신축성이 좋아 휘어지는 디스플레이에 이용된다.
ㄴ. 탄소 나노 튜브: 매우 가볍고 탄성이 큰 물질로 비행기 동체 등에 이용된다.
ㄷ. 풀러렌: 아주 작은 물질을 가둘 수 있어 의약품 운반체로 이용된다.

(   )

🧭 **개념 가이드**

첨단 과학 기술은 이전의 [   ] 과학 기술과 구별되는 새로운 과학 기술이다.

🔲 전통적인

대표 예제 **7** 과학 기술의 긍정적 측면

과학 기술의 발달이 인간에게 미치는 영향 중 긍정적인 것을 〈보기〉에서 모두 고르시오.

┌ 보기 ├
ㄱ. 화석 연료 사용에 의한 지구 온난화 현상이 가속화된다.
ㄴ. 통신 기술의 발달로 언제 어디서나 신속하게 소통이 가능하다.
ㄷ. 의학이 발달하여 난치병을 치료하거나 증상을 완화시킨다.

(   )

🧭 **개념 가이드**

과학 기술이 발달하면서 인간의 삶이 풍요롭고 [   ]해졌지만, 환경 [   ]과 교통난, 사생활 침해 등의 새로운 문제가 발생했다.

🔲 편리, 오염

대표 예제 **8** 과학 기술의 영향

과학이 우리 생활에 미치는 영향으로 적절한 것을 〈보기〉에서 모두 고르시오.

┌ 보기 ├
ㄱ. 인간의 모험성과 창의성을 증대시킨다.
ㄴ. 항상 긍정적인 영향을 미치며, 우리 생활이 더 나은 방향으로 발전하도록 돕는다.
ㄷ. 과학 하나만이 아니라 다른 영역의 학문과도 통합하여 산출물을 만들어낸다.

(   )

🧭 **개념 가이드**

새로운 과학 기술을 도입할 때에는 과학의 [   ]뿐만 아니라 사회적인 영향과 [   ]적인 측면 등을 신중하게 고려해야 한다.

🔲 유용성, 윤리

누구나 100점 테스트 1회

01 그림은 코일 근처에 자석을 가까이 가져갈 때 코일에 연결된 검류계 바늘이 움직이는 모습을 나타낸 것이다. 이에 대한 설명으로 옳은 것을 〈보기〉에서 모두 고른 것은?

┌ 보기 ┐
ㄱ. 코일에 유도 전류가 흐른다.
ㄴ. 전자기 유도 현상이 일어난다.
ㄷ. 전류가 발생하는 원리를 설명할 수 있다.
└──────┘

① ㄱ   ② ㄴ   ③ ㄱ, ㄷ
④ ㄴ, ㄷ   ⑤ ㄱ, ㄴ, ㄷ

02 그림은 손잡이를 돌리면 불이 켜지는 자가발전 손전등을 나타낸 것이다. 이에 대한 설명으로 옳은 것을 〈보기〉에서 모두 고른 것은?

┌ 보기 ┐
ㄱ. 손전등에는 유도 전류가 흐른다.
ㄴ. 화학 에너지가 전기 에너지로 전환된다.
ㄷ. 전자기 유도 현상에 의해 손전등에 불이 켜진다.
└──────┘

① ㄴ   ② ㄷ   ③ ㄱ, ㄷ
④ ㄴ, ㄷ   ⑤ ㄱ, ㄴ, ㄷ

03 가정에서 사용하는 전기 기구에서 일어나는 에너지 전환을 나타낸 것으로 옳지 <u>않은</u> 것은?

① 형광등: 전기 에너지 → 빛에너지
② 전기밥솥: 전기 에너지 → 열에너지
③ 청소기: 전기 에너지 → 운동 에너지
④ 냉장고: 전기 에너지 → 화학 에너지
⑤ 오디오: 전기 에너지 → 소리 에너지

04 다음은 세 학생이 전구에서 소비하는 전기 에너지에 대해 이야기를 나눈 것이다.

혜원: 전구에서 전기 에너지는 빛에너지와 열에너지로 전환돼.
도현: 전구가 1초 동안 소비하는 전기 에너지를 소비 전력이라고 해.
은송: 전구에서 1초 동안 발생한 빛에너지가 5 J이었다면 전구의 소비 전력은 5 W야.

옳게 말한 학생을 모두 고른 것은?

① 혜원   ② 도현   ③ 은송
④ 혜원, 도현   ⑤ 도현, 은송

05 그림은 지구에서 6개월 간격으로 관측한 별 S의 모습을 나타낸 것이다.

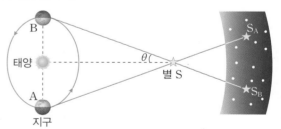

이에 대한 설명으로 옳은 것을 〈보기〉에서 모두 고른 것은?

┌ 보기 ┐
ㄱ. θ는 연주 시차이다.
ㄴ. 별 S가 지구와 가까워지면 θ는 커진다.
ㄷ. θ가 0.5″이면 별 S까지의 거리는 5 pc이다.
ㄹ. 지구가 A에서 B로 가는 데 3개월이 걸린다.
└──────┘

① ㄱ, ㄴ   ② ㄱ, ㄹ   ③ ㄴ, ㄷ
④ ㄱ, ㄴ, ㄷ   ⑤ ㄱ, ㄴ, ㄹ

06 별 A~C를 지구에서 거리가 먼 것부터 순서대로 바르게 나열한 것은?

> A: 연주 시차가 0.2″인 별
> B: 지구에서 2 pc 거리에 있는 별
> C: 지구에서 3.26 광년 거리에 있는 별

① A − B − C
② A − C − B
③ B − C − A
④ C − A − B
⑤ C − B − A

07 다음은 세 학생이 별의 밝기와 거리의 관계에 대해 이야기를 나눈 것이다.

별의 밝기는 별까지의 거리의 제곱에 반비례하지. 혜원

실제 밝기가 변하지 않아도 거리가 멀어지면 더 어두워 보여. 도현

별까지의 거리가 3배 멀어지면 밝기는 $\frac{1}{3}$배로 어두워져. 준수

옳게 말한 학생을 모두 고른 것은?

① 혜원
② 도현
③ 준수
④ 혜원, 도현
⑤ 도현, 준수

08 별의 밝기와 등급에 대한 설명으로 옳지 <u>않은</u> 것은?

① 등급의 숫자가 작을수록 밝은 별이다.
② 1 등급 차이는 약 2.5배의 밝기 차이를 나타낸다.
③ 1 등급인 별은 6등급인 별보다 100배 더 밝다.
④ 별의 밝기를 등급으로 나타낼 때 가장 밝은 별을 1 등급으로 한다.
⑤ 별까지의 거리가 10배 멀어지면 겉보기 등급은 5 등급만큼 커진다.

09 절대 등급이 1 등급인 별이 지구에서 1 pc 떨어진 곳에 있다면 이 별의 겉보기 등급은 몇 등급인가?

① −4 등급
② −1 등급
③ 2 등급
④ 5 등급
⑤ 8 등급

10 표는 별 A~C의 겉보기 등급과 절대 등급을 나타낸 것이다.

별	겉보기 등급	절대 등급
A	1.5	4.5
B	−1.0	2.0
C	2.3	1.3

별 A~C가 지구에서 떨어진 거리를 옳게 비교한 것은?

① A > B = C
② A = B < C
③ A > B > C
④ A < B < C
⑤ A = B = C

01 그림은 별 A~E의 색과 절대 등급을 나타낸 것이다.

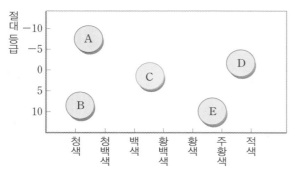

태양보다 표면 온도가 낮은 별을 모두 고른 것은?

① A, B
② A, B, D
③ C, D, E
④ D, E
⑤ B, C, E

02 표는 여러 별의 색을 나타낸 것이다.

별	민타카	직녀성	알데바란	베텔게우스
색	청색	백색	주황색	적색

이에 대한 설명으로 옳은 것을 〈보기〉에서 모두 고른 것은?

┌ 보기 ┐
ㄱ. 표면 온도는 민타카가 가장 높다.
ㄴ. 절대 등급은 베텔게우스가 가장 작다.
ㄷ. 알데바란이 직녀성보다 표면 온도가 높다.
└──────────┘

① ㄱ
② ㄴ
③ ㄷ
④ ㄱ, ㄴ
⑤ ㄴ, ㄷ

03 그림 (가)와 (나)는 각각 우리은하를 위에서 본 모습과 옆에서 본 모습을 나타낸 것이다.

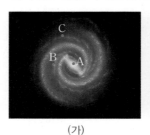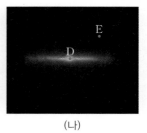

(가)   (나)

A~E 중에서 태양계의 위치로 가장 알맞은 것은?

① A
② B
③ C
④ D
⑤ E

04 우리은하에 대한 설명으로 옳지 <u>않은</u> 것은?

① 지름이 약 30 kpc이다.
② 약 2000억 개의 별들을 포함한다.
③ 위에서 보면 막대 모양의 중심부가 있다.
④ 은하수는 지구에서 본 우리은하의 모습이다.
⑤ 옆에서 보면 별들이 막대 모양으로 분포한다.

05 산개 성단에 비해 구상 성단에서 대체로 더 큰 값을 갖는 것을 〈보기〉에서 모두 고른 것은?

┌ 보기 ┐
ㄱ. 구성 별의 수
ㄴ. 구성 별의 나이
ㄷ. 중심부의 밀도
ㄹ. 구성 별의 표면 온도
└──────────┘

① ㄱ, ㄴ
② ㄷ, ㄹ
③ ㄱ, ㄹ
④ ㄱ, ㄴ, ㄷ
⑤ ㄴ, ㄷ, ㄹ

06 그림은 세 종류의 성운을 나타낸 것이다.

 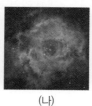 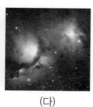

(가)   (나)   (다)

이에 대한 설명으로 옳지 <u>않은</u> 것은?

① (가)는 암흑 성운이다.

② (가)는 뒤쪽에서 오는 별빛을 가린다.

③ (나)는 스스로 빛을 낸다.

④ (다)는 주변의 별빛을 반사한다.

⑤ (나)와 (다)는 수많은 별이 집단을 이룬 것이다.

07 성운을 구성하는 주요 성분으로 옳은 것은?

① 드라이아이스

② 젊은 고온의 별

③ 성간 기체와 먼지

④ 수증기와 작은 물방울

⑤ 별에서 방출되는 고에너지 입자

08 다음은 세 학생이 산개 성단에 대해 이야기를 나눈 것이다.

주로 붉은색의 늙은 별들로 구성 되어 있어.
민우

별들이 일정한 모양 없이 모여 있는 성단이야.
주연

대부분 우리 은하의 나선팔에 분포하지.
정호

옳게 말한 학생을 모두 고른 것은?

① 민우   ② 주연   ③ 정호

④ 민우, 정호   ⑤ 주연, 정호

09 과학 기술이 인류 문명에 가져온 변화에 대한 설명으로 옳지 <u>않은</u> 것은?

① 산업 혁명으로 공업과 서비스업 종사자가 감소 했다.

② 과학 기술의 발전으로 제품 생산량이 획기적으 로 증가하였다.

③ 로봇 과학자, 컴퓨터 보안 전문가 등 새로운 직 업이 등장했다.

④ 현실에서 표현하기 힘든 장면을 3D로 구현할 수 있게 되었다.

⑤ 과학 기술과 음악, 미술이 융합된 새로운 예술 분야가 등장했다.

10 그림은 과학 기술이 우리 생활에 미치는 영향에 대해 선 생님과 세 학생이 나눈 SNS 대화 내용이다.

옳은 내용을 말한 학생을 모두 고른 것은?

① 철수   ② 영희   ③ 철수, 민수

④ 영희, 민수   ⑤ 철수, 영희, 민수

서술형·사고력 **테스트**

01 그림과 같이 코일에 검류계를 연결한 다음 (가)자석을 코일 속에 넣을 때, (나)자석을 코일 속에 넣은 채로 가만히 있을 때 검류계 바늘의 움직임을 관찰하였다.

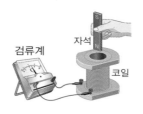

(1) (가), (나)에서 검류계 바늘의 움직임을 쓰시오.

(가): (　　　　　　　)

(나): (　　　　　　　)

(2) (1)의 결과로부터 알 수 있는 사실을 서술하시오.

_____

_____

02 그림은 선풍기에 붙어 있는 세부 사항을 나타낸 것이다.

정격 전압	220 V
정격 소비 전력	30 W
제조년월일	2021년 05월

(1) 소비 전력 30 W가 의미하는 것은 무엇인지 서술하시오.

_____

_____

(2) 선풍기를 5 시간 사용했을 때의 전력량을 풀이 과정과 함께 구하시오.

_____

_____

03 그림은 지구에서 6개월 간격으로 관측한 별 S의 모습을 나타낸 것이다.

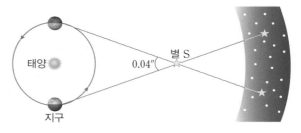

(1) 별 S의 연주 시차를 구하시오.

(　　　　　　　)

(2) 별 S까지의 거리를 구하고, 풀이 과정을 함께 서술하시오.

_____

_____

04 표는 별 A~D의 겉보기 등급, 절대 등급, 색을 나타낸 것이다.

별	A	B	C	D
겉보기 등급	2	−3	−1	7
절대 등급	−1	0	5	0
색	백색	청색	적색	주황색

(1) 표면 온도가 가장 높은 별과 표면 온도가 가장 낮은 별의 기호를 차례로 쓰시오.

_____

(2) (1)처럼 생각한 이유를 서술하시오.

_____

_____

(3) 별 A~D를 거리가 먼 것부터 순서대로 쓰시오.

_____

05 그림 (가)와 (나)는 두 종류의 성단을 나타낸 것이다.

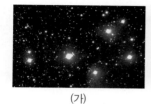 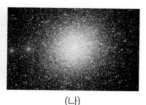

(가)   (나)

(1) (가)와 (나)의 종류를 쓰시오.

_____

(2) (가)와 (나)를 구성하는 별들의 색깔과 나이를 비교하여 서술하시오.

_____

_____

06 그림은 우리은하를 위에서 본 모습과 옆에서 본 모습을 나타낸 것이다.

우리은하를 위에서 본 모습과 옆에서 본 모습을 서술하시오.

_____

_____

07 그림 (가)와 (나)는 우리은하 내의 천체를 나타낸 것이다.

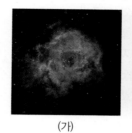 

(가)   (나)

(1) (가)와 (나)의 종류를 각각 쓰시오.

(가): (   )

(나): (   )

(2) (가)와 (나)가 빛나게 되는 과정과 빛의 색을 각각 서술하시오.

_____

_____

(3) (가)와 (나) 같은 천체의 특징을 다음 단어를 모두 사용하여 서술하시오.

> 성운, 성간 물질, 밀집, 구름, 우리은하, 나선팔

_____

_____

6일 창의·융합·코딩 테스트

융합

01 그림과 같이 코일의 양 끝에 빨간색 발광 다이오드와 초록색 발광 다이오드를 병렬로 연결한 상태에서 코일에 자석을 가까이 하거나 멀리 하였더니 실험 결과가 다음과 같았다.

> 발광 다이오드는 전류를 한쪽 방향으로만 흐르게 하는 성질이 있는데 자석을 코일에 가까이 하면 초록색 불이 켜지고, 자석을 코일에서 멀리하면 빨간색 불이 켜진다.

위의 결과로부터 전자기 유도에 대해 알 수 있는 사실을 전류의 방향과 관련하여 서술하시오.

_____

_____

창의

02 다음은 에어컨을 작동시켰을 때 나타나는 현상이다.

> 에어컨을 작동시켰더니 표시창에 여러 가지 신호가 나타나면서 차가운 바람이 나왔다. 또한 윙윙거리는 소리도 나고, 에어컨을 손으로 만져 보니 따뜻했다.

주어진 글을 바탕으로 에어컨을 작동시켰을 때 일어나는 전기 에너지의 전환 네 가지를 서술하시오.

_____

_____

융합

03 그림은 종이에 일정한 간격으로 1부터 8까지 숫자를 적고 학생 A, B가 스타이로폼 공을 관찰했을 때 스타이로폼 공이 보이는 위치의 숫자를 확인하는 실험을 나타낸 것이다.

(1) θ를 무엇이라고 하는지 쓰고, θ가 나타나는 이유를 설명하시오.

_____

_____

(2) 스타이로폼 공을 관측자에게 가까이 가져가면 θ의 크기가 어떻게 되는지, 그 이유와 함께 서술하시오.

_____

_____

(3) (2)의 결과로부터 알 수 있는 것을 쓰시오.

_____

(4) 스타이로폼 공의 위치를 그대로 둔 상태에서 θ의 크기를 크게 할 수 있는 방법을 설명하시오.

_____

_____

04 그림은 성운의 분류를 나타낸 것이다.

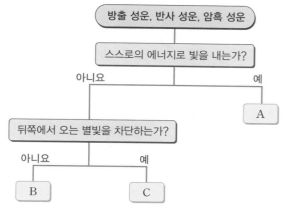

| 방출 성운, 반사 성운, 암흑 성운 |

스스로의 에너지로 빛을 내는가?

아니요   예

A

뒤쪽에서 오는 별빛을 차단하는가?

아니요   예

B   C

(1) A, B, C에 해당하는 성운의 종류를 쓰시오.

A: (   )

B: (   )

C: (   )

(2) A가 스스로 에너지를 방출하여 빛을 내는 과정을 설명하시오.

_____

_____

(3) B의 특징을 설명하시오.

_____

(4) A~C 중 은하수의 가운데 부분이 검게 보이는 것과 관련있는 것은 무엇인지 쓰고, 이유를 서술하시오.

_____

05 그림은 과학 기술이 가져온 인류 문명의 발달에 대해 지후, 다희, 지은, 건우가 대화를 나누고 있는 모습을 나타낸 것이다. ㉠~㉢에 알맞은 말을 쓰시오.

인류가 (㉠)을 사용하면서 석기 시대가 끝나고 철기 시대로 넘어왔지.

그래! 불을 발견하고 사용한 덕분이지.

이후에 사람들은 (㉢)를 사용하면서 밤에도 조명을 밝힐 수 있었어.

그리고 (㉡)의 발명은 산업 혁명의 원동력이 되었어.

지후   건우   다희   지은

㉠: (   )

㉡: (   )

㉢: (   )

06 그림은 하늘다람쥐를 보고 손과 발 사이에 옷감을 붙여 제작한 스포츠용 윙슈트이다.

▲ 하늘다람쥐   ▲ 스포츠용 윙슈트

이러한 창의적 과학 기술을 무엇이라고 하는지 쓰고, 이와 유사한 사례를 한 가지 서술하시오.

_____

_____

7일 학교시험 기본 테스트 1회

01 그림과 같이 검류계가 연결된 코일에 자석을 가까이 하였다.

자석
검류계
코일

이때 코일에 더 센 전류가 흐르는 경우를 〈보기〉에서 모두 고른 것은?

┌ 보기 ┐
ㄱ. 자석의 극을 바꾼다.
ㄴ. 자석을 더 빠르게 움직인다.
ㄷ. 코일을 더 많이 감는다.

① ㄴ   ② ㄱ, ㄴ   ③ ㄱ, ㄷ
④ ㄴ, ㄷ   ⑤ ㄱ, ㄴ, ㄷ

02 다음은 발전기 구조와 원리에 대한 설명이다. 빈칸에 알맞은 말을 쓰시오.

발전기는 ㉠( )과 그 속에서 회전할 수 있는 코일로 이루어져 있으며 코일이 회전하면 ㉡( )에 의해 ㉢( )가 흐르면서 전기가 생산된다.

03 그림은 전기주전자의 정격 전압과 정격 소비 전력을 나타낸 것이다.

품명 무선 전기주전자
정격 전압 AC 220V, 60 Hz
정격 소비 전력 1800 W

전기주전자를 30분 동안 사용했을 때의 전력량은?

① 300 Wh   ② 600 Wh   ③ 900 Wh
④ 1800 Wh   ⑤ 3600 Wh

04 다음 가전제품 중에서 전기 에너지의 전환이 나머지와 <u>다른</u> 하나는?

① 전기밥솥   ② 토스터   ③ 전기주전자

④ 세탁기   ⑤ 전기난로

05 그림과 같이 가정에서 사용하는 전구에 '220 V − 30 W'라고 쓰여 있었다. 이 전구에 대한 설명으로 옳은 것을 〈보기〉에서 모두 고른 것은?

┌ 보기 ┐
ㄱ. 전구의 소비 전력은 30 W이다.
ㄴ. 220 V의 전원에 사용해야 한다.
ㄷ. 1초 동안 소비하는 전기 에너지는 30 J이다.

① ㄱ   ② ㄷ   ③ ㄱ, ㄴ
④ ㄴ, ㄷ   ⑤ ㄱ, ㄴ, ㄷ

06 그림은 관측자 (가)와 (나)가 각자의 위치에서 나무를 관찰하였을 때 시차가 생기는 원리를 나타낸 것이다.

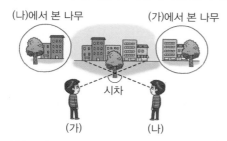

(나)에서 본 나무   (가)에서 본 나무

(가)   시차   (나)

이에 대한 설명으로 옳지 <u>않은</u> 것은?

① 시차는 물체와의 거리에 비례한다.

② 나무까지의 거리가 가까워지면 시차는 커진다.

③ 물체의 시차를 측정하면 물체까지의 거리를 알 수 있다.

④ 시차의 크기는 두 관측 지점과 물체가 이루는 각도로 나타낸다.

⑤ 시차는 관측자의 위치에 따라 물체의 겉보기 방향이 달라지는 정도이다.

07 별의 연주 시차가 생기는 이유를 옳게 설명한 것은?

① 달이 지구 주위를 공전한다.

② 지구가 태양 주위를 공전한다.

③ 천구상에서 별이 일주 운동을 한다.

④ 지구가 자전축을 중심으로 자전한다.

⑤ 북극성이 천구의 북극 부근에 위치한다.

08 그림은 지구에서 6개월 간격으로 관측한 별 A와 B의 위치를 나타낸 것이다.

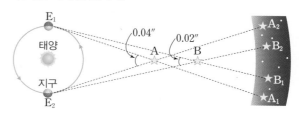

E_1 태양   0.04″   0.02″ A_2 B_2 A B B_1 지구 E_2 A_1

별 A와 별 B까지의 거리를 각각 구하시오.

(   )

09 표는 지구에서 관측한 별 A~E의 거리를 나타낸 것이다.

별	A	B	C	D	E
거리(pc)	40	25	33	12	2

연주 시차가 큰 것부터 순서대로 옳게 나열한 것은?

① A − C − B − D − E

② A − D − E − B − C

③ C − B − D − A − E

④ E − D − B − C − A

⑤ E − D − C − B − A

10 어떤 별의 밝기가 36배 밝아졌다면, 이 별까지의 거리 변화로 옳은 것은? (단, 별까지의 거리 이외의 요인은 고려하지 않는다.)

① $\frac{1}{3}$배로 가까워졌다.   ② 3배 멀어졌다.

③ $\frac{1}{6}$배로 가까워졌다.   ④ 6배 멀어졌다.

⑤ $\frac{1}{9}$배로 가까워졌다.

11 별의 밝기와 등급에 대한 설명으로 옳지 <u>않은</u> 것은?

① 등급의 숫자가 작을수록 밝은 별이다.

② 1 등급 차이는 약 2.5배 밝기 차이가 난다.

③ 1 등급과 6 등급은 100배의 밝기 차이가 난다.

④ −1 등급과 1 등급은 5배의 밝기 차이가 난다.

⑤ 별의 거리가 가까워지면 밝게 보이므로 겉보기 등급이 작아진다.

[12~13] 표는 별 A~C의 연주 시차와 겉보기 등급을 나타낸 것이다.

별	A	B	C
연주 시차(″)	0.5	0.1	0.02
겉보기 등급	−2	1	−2

12 별 B의 절대 등급으로 옳은 것은?

① −1 등급 　② 0 등급 　③ 1 등급

④ 2 등급 　⑤ 3 등급

13 별 A와 별 C 중에서 절대 등급이 더 작은 별은 무엇인지 근거를 들어 서술하시오.

_____

_____

_____

_____

14 표는 별 A~D의 색을 나타낸 것이다.

별	A	B	C	D
색	백색	청색	황색	적색

이에 대한 설명으로 옳지 <u>않은</u> 것은?

① 별 A는 별 B보다 표면 온도가 낮다.

② 별 C는 별 D보다 표면 온도가 높다.

③ 별 B의 표면 온도가 가장 높다.

④ 별 D의 표면 온도가 가장 낮다.

⑤ 별 A는 태양과 같은 색을 나타낸다.

15 그림 (가)와 (나)는 우리은하의 모습을 나타낸 것이다.

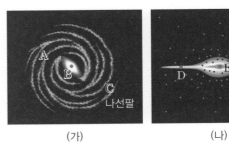

이에 대한 설명으로 옳은 것을 〈보기〉에서 모두 고른 것은?

┌ 보기 ─────────────────────
ㄱ. (가)는 우리은하를 위에서 본 모습이다.

ㄴ. (나)에서 우리은하의 중심부는 부풀어 있다.

ㄷ. (가)와 (나)에서 태양계의 위치로 알맞은 것은 A와 D이다.
└──────────────────────

① ㄴ 　② ㄷ 　③ ㄱ, ㄴ

④ ㄱ, ㄷ 　⑤ ㄱ, ㄴ, ㄷ

16 그림 (가)와 (나)는 두 종류의 성단을 나타낸 것이다.

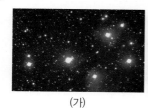 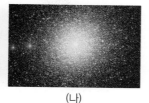

(가)   (나)

이에 대한 설명으로 옳지 <u>않은</u> 것은?

① (가)는 대부분 우리은하의 나선팔에 분포한다.

② (나)는 구상 성단이다.

③ (가)는 (나)보다 구성 별의 개수가 많다.

④ (가)는 (나)보다 구성 별의 나이가 적다.

⑤ (나)는 주로 붉은색의 별들로 구성되어 있다.

17 (가)~(다)는 성운의 종류에 따른 특징을 설명한 것이다.

> (가) 근처에 있는 별로부터 에너지를 받아 붉은색
>   빛을 내는 성운
> (나) 뒤에서 오는 별빛을 가려 검게 보이는 성운
> (다) 주변의 별빛을 반사하여 주로 파란색으로 보
>   이는 성운

(가)~(다)에 해당하는 성운을 옳게 짝 지은 것은?

	(가)	(나)	(다)
①	반사 성운	암흑 성운	방출 성운
②	반사 성운	방출 성운	암흑 성운
③	암흑 성운	반사 성운	방출 성운
④	방출 성운	반사 성운	암흑 성운
⑤	방출 성운	암흑 성운	반사 성운

18 우리은하를 구성하는 천체가 <u>아닌</u> 것은?

① 태양   ② 산개 성단

③ 발광 성운   ④ 안드로메다은하

⑤ 성간 기체와 먼지

19 금속의 발견에 대한 설명으로 옳지 <u>않은</u> 것은?

① 불의 발견과 사용 덕분에 가능했다.

② 산업 혁명의 원동력으로써 작용하였다.

③ 석기 시대가 막을 내리는 계기가 되었다.

④ 청동기 시대 및 철기 시대로 변화하였다.

⑤ 금속의 사용으로 농업 생산량이 증대되었다.

20 그림은 인류 문명의 발달에 영향을 미친 대표적 사례를 나타낸 것이다.

▲ 페니실린의 발견   ▲ 망원경의 발명   ▲ 유전자 분석 기술

이에 대한 설명으로 옳은 것을 〈보기〉에서 모두 고른 것은?

> 보기
> ㄱ. 페니실린의 발견은 과학적 발견에 해당한다.
> ㄴ. 망원경의 발명으로 우주에 대한 인류의 생각
>   이 혁명적으로 전환되었다.
> ㄷ. 유전자 분석 기술로 전 세계를 연결하는 통신
>   망을 구성할 수 있었다.

① ㄴ   ② ㄷ   ③ ㄱ, ㄴ

④ ㄱ, ㄷ   ⑤ ㄱ, ㄴ, ㄷ

01 그림과 같이 자석을 코일에 가까이 하였더니 저항에 전류가 흘렀다.

자석 / 코일 / 저항

이에 대한 설명으로 옳지 <u>않은</u> 것은?

① 전자기 유도 현상이 일어난다.

② 코일에는 유도 전류가 흐른다.

③ 자석을 멀리 하면 전류가 흐르지 않는다.

④ 역학적 에너지가 전기 에너지로 전환된다.

⑤ 강한 자석을 사용하면 전류의 세기가 커진다.

02 그림은 발전기의 구조를 나타낸 것이다. 이에 대한 설명으로 옳지 <u>않은</u> 것은?

자석 / 코일 / 회전 날개

① 코일을 회전시키면 전자기 유도 현상이 일어난다.

② 코일을 회전시키면 코일에 전류가 흐른다.

③ 발전기는 코일과 자석으로 이루어져 있다.

④ 코일에 흐르는 전류를 유도 전류라고 한다.

⑤ 코일 대신 자석이 회전하면 전류가 발생하지 않는다.

03 그림과 같이 220 V - 22 W로 표시된 전구가 있다. 이 전구를 매일 10시간씩 한 달 동안 사용했을 때 전구가 소비한 전력량은 몇 Wh인지 구하시오. (단, 한 달은 30일이다.)

220V - 22W / LED

(   )

[04~05] 다음 표는 가정에서 사용하는 가전제품에서 주로 전환되는 에너지의 종류 및 소비 전력을 나타낸 것이다.

가전제품	전환되는 에너지	소비 전력(W)
전기밥솥	열에너지	1500 W
냉장고	㉠	150 W
스탠드	빛에너지	20 W
전기주전자	㉡	2000 W

04 ㉠과 ㉡에 들어갈 에너지의 종류를 옳게 짝 지은 것은?

	㉠	㉡
①	열에너지	열에너지
②	열에너지	운동 에너지
③	운동 에너지	열에너지
④	소리 에너지	운동 에너지
⑤	화학 에너지	소리 에너지

05 위 표에 대한 설명으로 옳은 것을 〈보기〉에서 모두 고른 것은?

┌ 보기 ┐
ㄱ. 소비 전력이 가장 큰 것은 전기밥솥이다.
ㄴ. 스탠드는 1 시간 동안 20 J의 전기 에너지를 소비한다.
ㄷ. 전기 에너지를 열에너지로 전환하는 가전제품의 소비 전력이 다른 가전제품보다 크다.
└────────────────────────┘

① ㄱ   ② ㄷ   ③ ㄱ, ㄴ

④ ㄴ, ㄷ   ⑤ ㄱ, ㄴ, ㄷ

06 시차에 대한 설명으로 옳은 것을 〈보기〉에서 모두 고른 것은?

> **보기**
>
> ㄱ. 시차와 물체까지의 거리는 반비례 관계이다.
> ㄴ. 물체의 시차로부터 물체까지의 거리를 알 수 있다.
> ㄷ. 시차는 물체가 움직인 정도를 각도로 나타낸 것이다.

① ㄴ   ② ㄷ   ③ ㄱ, ㄴ
④ ㄱ, ㄷ   ⑤ ㄱ, ㄴ, ㄷ

07 그림은 지구에서 6개월 간격으로 관측한 별 S의 모습을 나타낸 것이다.

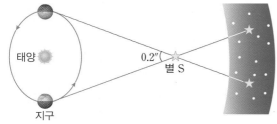

이에 대한 설명으로 옳지 <u>않은</u> 것은?

① 별 S의 연주 시차는 0.1″이다.
② 별 S는 5 pc 떨어진 곳에 있다.
③ 연주 시차는 별까지의 거리에 반비례한다.
④ 별 S까지의 거리가 멀어지면 연주 시차는 작아진다.
⑤ 연주 시차는 지구가 태양 주위를 공전하기 때문에 나타난다.

08 별의 연주 시차에 대한 설명으로 옳지 <u>않은</u> 것은?

① 시차의 절반에 해당하는 값이다.
② 지구 공전 주기의 절반 간격으로 측정한다.
③ 연주 시차가 1″인 별까지의 거리는 1 pc이다.
④ 별까지의 거리와 상관없이 연주 시차는 측정이 가능하다.
⑤ 지구의 공전 궤도 반지름이 커지면 연주 시차도 커질 것이다.

09 표는 지구에서 관측한 별 A~D의 연주 시차를 나타낸 것이다.

별	A	B	C	D
연주 시차(″)	0.1	0.02	0.5	0.05

지구에서 거리가 가장 먼 별과 가장 가까운 별을 순서대로 옳게 짝 지은 것은?

① A, B   ② B, C   ③ B, D
④ C, A   ⑤ C, B

10 별까지의 거리가 100 pc에서 10 pc으로 가까워지면 별의 겉보기 밝기는 어떻게 변하는지 서술하시오.

11 표는 별 A~D를 관측하여 정리한 자료의 일부이다.

별	특징
A	지구에서 10 AU 거리에 있다.
B	지구에서 5 pc 거리에 있다.
C	연주 시차가 0.1″이다.
D	지구에서 3.26 광년 거리에 있다.

지구에서 거리가 먼 별부터 순서대로 옳게 나열한 것은?

① A − B − D − C
② A − C − D − B
③ C − B − D − A
④ C − D − A − B
⑤ D − B − A − C

12 겉보기 등급이 2 등급인 어느 별보다 상대적으로 2.5^4배 만큼 밝은 별의 겉보기 등급으로 옳은 것은?

① −4 등급　　② −2 등급　　③ 0 등급
④ 2 등급　　⑤ 4 등급

13 별의 겉보기 등급과 절대 등급에 대한 설명으로 옳은 것을 〈보기〉에서 모두 고른 것은?

┌ 보기 ┐
ㄱ. 겉보기 등급은 별까지의 거리를 고려하지 않는다.
ㄴ. 절대 등급은 겉보기 등급보다 항상 크다.
ㄷ. 절대 등급은 모든 별이 지구로부터 같은 거리에 있다고 가정한다.
└───┘

① ㄴ　　　② ㄷ　　　③ ㄱ, ㄴ
④ ㄱ, ㄷ　　⑤ ㄱ, ㄴ, ㄷ

14 별의 색과 표면 온도에 대한 설명으로 옳지 않은 것은?

① 별의 색은 표면 온도에 따라 다르다.
② 표면 온도가 높을수록 청색을 띤다.
③ 표면 온도가 낮을수록 적색을 띤다.
④ 백색 별은 황색 별보다 표면 온도가 높다.
⑤ 태양은 주황색 별보다 표면 온도가 낮다.

15 그림은 겨울철 별자리 중 하나인 오리온자리의 모습을 나타낸 것이다.

오리온자리의 구성 별 중에서 베텔게우스는 적색, 리겔은 청색을 띤다. 이로부터 알 수 있는 것에 대한 설명으로 옳은 것을 〈보기〉에서 모두 고른 것은?

┌ 보기 ┐
ㄱ. 베텔게우스는 리겔보다 표면 온도가 낮다.
ㄴ. 베텔게우스는 리겔보다 절대 등급이 크다.
ㄷ. 베텔게우스와 리겔은 지구에서 같은 거리에 있다.
└───┘

① ㄱ　　　② ㄴ　　　③ ㄱ, ㄷ
④ ㄴ, ㄷ　　⑤ ㄱ, ㄴ, ㄷ

16 그림은 우리은하의 모습을 나타낸 것이다.

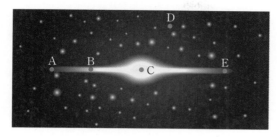

이에 대한 설명으로 옳지 <u>않은</u> 것은?

① 우리은하를 옆에서 본 모습이다.

② A에서 E까지의 거리는 약 8.5 kpc이다.

③ 태양계의 위치로 가장 적절한 것은 B이다.

④ C에는 막대 모양의 구조가 있다.

⑤ D 영역에서 구상 성단의 분포를 확인할 수 있다.

17 그림은 우리은하에 있는 어느 천체의 모습을 나타낸 것이다.

이에 대한 설명으로 옳은 것을 〈보기〉에서 모두 고른 것은?

┌ 보기 ┐
ㄱ. 암흑 성운이다.

ㄴ. 수많은 별들이 빽빽하게 밀집되어 집단을 이룬 것이다.

ㄷ. 주로 우리은하의 나선팔에 분포한다.
└──────────────┘

① ㄱ   ② ㄴ   ③ ㄷ

④ ㄱ, ㄴ   ⑤ ㄱ, ㄷ

18 그림 (가)와 (나)는 두 종류의 성단을 나타낸 것이다.

(가)   (나)

성단 (가)와 (나)의 종류를 각각 쓰시오.

(가): (   )

(나): (   )

19 첨단 과학 기술을 활용한 사례에 대한 설명으로 옳지 <u>않</u>은 것은?

① 인공 지능(AI)은 기계가 인간과 같은 지능을 가지는 것을 의미한다.

② 사물 인터넷(IoT)를 이용하면 사람과 사물 또는 사물과 사물 사이에서 서로 정보를 주고받을 수 있다.

③ 무선 전력 수송은 전선 없이도 무선으로 전력을 전송할 수 있는 기술이다.

④ 유기 발광 다이오드(OLED)는 매우 얇지만 구부리거나 접을 수는 없다.

⑤ 탄소 섬유는 탄성과 강도가 크고 가벼워 항공기의 동체에 사용된다.

20 과학 기술이 인류 문명에 가져온 변화로 볼 수 <u>없는</u> 것은?

① 직업의 변화

② 새로운 문화의 형성

③ 3D 영화의 구현

④ 도시의 형성

⑤ 산업 사회에서 농업 사회로의 회귀

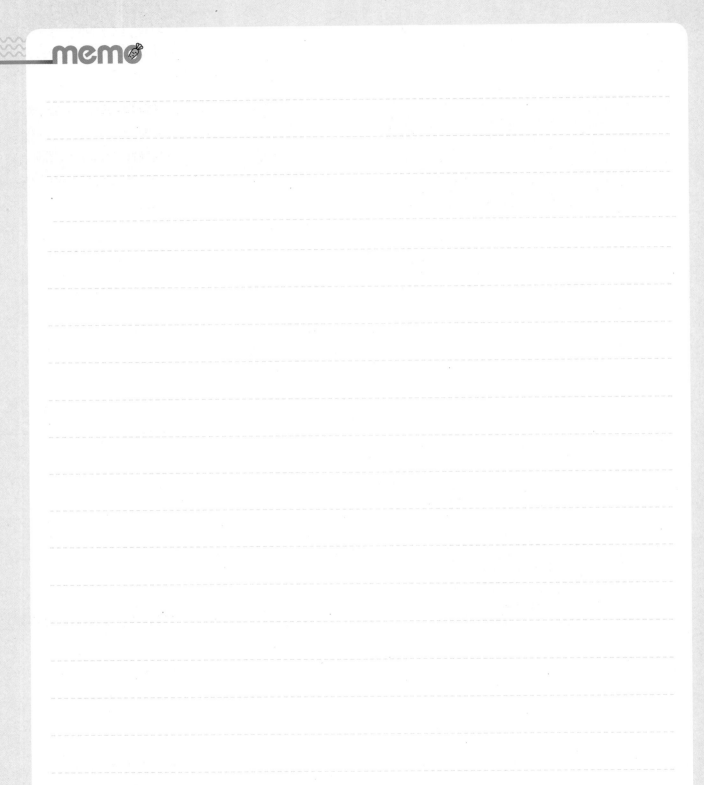

핵심 정리 01 | 전자기 유도

- **전자기 유도** 코일 근처에서 자석이 움직일 때 코일을 통과하는 자기장이 변하여 코일에 전류가 흐르는 현상

자석이 움직이지 않을 때	자석이 움직일 때
자석 꼬마전구형 발광 다이오드 코일	
유도 전류가 발생하지 않는다.	유도 전류가 발생한다.

- **유도 전류**

  전자기 유도 현상이 일어날 때 코일에 흐르는 전류

- **유도 전류의 세기**

  코일의 감은 수가 ❶ ⬚, 강한 자석을 사용할수록, 자석을 ❷ ⬚ 움직일수록 유도 전류의 세기가 크다.

답 ❶ 많을수록 ❷ 빠르게

핵심 정리 02 | 발전

- **발전** 위치 에너지와 운동 에너지 등의 에너지를 전기 에너지로 바꾸는 것

- **발전기** 영구 자석과 그 속에서 회전할 수 있는 코일로 이루어진 장치

- **발전기의 원리**

  발전기의 회전축이 돌아가면 코일이 자석 사이에서 회전하는데, 이때 코일 내부를 지나는 ❶ ⬚ 이 변하여 코일에 전류가 흐른다.

자석 / 코일 / S / N / 회전축

- **발전기에서의 에너지 전환**

  ❷ ⬚ 에너지 → 전기 에너지

답 ❶ 자기장 ❷ 역학적

핵심 정리 03 | 전기 에너지의 전환

- **전기 에너지의 전환**

가전 제품	에너지 전환
세탁기	• 세탁기로 빨래를 한다. • 전기 에너지 → ❶ ⬚
텔레비전	• 텔레비전으로 영상을 본다. • 전기 에너지 → 빛에너지, 소리 에너지
전기난로	• 전기난로로 집 안을 따뜻하게 한다. • 전기 에너지 → ❷ ⬚
스마트폰	• 배터리를 충전한다. • 전기 에너지 → 화학 에너지
청소기	• 청소기로 청소를 한다. • 전기 에너지 → 운동 에너지
전등	• 전등으로 어두운 방을 밝게 한다. • 전기 에너지 → 빛에너지

답 ❶ 운동 에너지 ❷ 열에너지

핵심 정리 04 | 소비 전력과 전력량

- **소비 전력**

  전기 기구가 1 초 동안 소비하는 전기 에너지의 양으로, 단위는 ❶ ⬚, kW(킬로와트)이다.

$$소비\ 전력(W) = \frac{전기\ 에너지(J)}{시간(s)}$$

- **정격 전압**

  전기 기구가 정상적으로 작동할 수 있는 전압

- **정격 소비 전력**

  정격 전압을 걸어 주었을 때 1 초 동안 소비하는 전기 에너지의 양

- **전력량**

  전기 기구가 일정 시간 동안 사용한 전기 에너지의 양으로, 단위는 ❷ ⬚, kWh(킬로와트시)이다.

$$전력량(Wh) = 소비\ 전력(W) \times 시간(h)$$

답 ❶ W(와트) ❷ Wh(와트시)

[예제] 그림과 같은 간이 발전기를 흔들면 발광 다이오드에 불이 켜진다. 이에 대한 설명으로 옳지 않은 것은?

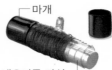

마개
네오디뮴 자석

① 전자기 유도 현상이 나타난다.

② 코일에는 유도 전류가 흐른다.

③ 코일 내의 자기장의 변화로 전류가 발생한다.

✓④ 자석 대신 철을 넣어도 발광 다이오드에 불이 켜진다.

⑤ 자석의 세기에 따라 발생하는 전류의 세기도 달라진다.

🔦 기억해요!

발전기는 [   ]과 코일로 이루어져 있으며, 코일이 자석 사이에서 움직이면 [   ]에 의해 코일에 전류가 흐르면서 전기가 생산된다.

🔲 답 자석, 전자기 유도

[예제] 그림은 검류계와 연결된 코일 속에 자석을 넣는 모습을 나타낸 것이다. 검류계의 바늘이 움직이는 정도를 크게 하는 방법으로 옳은 것을 〈보기〉에서 모두 고르시오.

검류계

┌ 보기 ┐

ㄱ. 코일을 더 많이 감는다.

ㄴ. 더 약한 자석을 사용한다.

ㄷ. 자석을 더 빠르게 움직인다.

(ㄱ, ㄷ   )

🔦 기억해요!

코일 근처에서 자석을 움직이면 코일을 통과하는 [   ]이 변하여 코일에 전류가 발생한다. 이와 같은 현상을 전자기 유도라 하고, 이때 코일에 흐르는 전류를 [   ]라고 한다.

🔲 답 자기장, 유도 전류

[예제] 소비 전력과 전력량에 대한 설명으로 옳지 않은 것은?

① 전력량의 단위로 Wh(와트시)를 사용한다.

② 1 초 동안 사용한 전기 에너지를 소비 전력이라고 한다.

③ 소비 전력과 전력을 사용한 시간을 곱한 값을 전력량이라고 한다.

④ 가전제품의 소비 전력이 클수록 같은 시간 동안 더 많은 전기 에너지를 소비한다.

✓⑤ 전기 에너지를 열에너지로 전환하여 사용하는 가전제품이 전기 에너지를 빛에너지로 전환하여 사용하는 가전제품보다 소비 전력이 작다.

🔦 기억해요!

1 초 동안 전기 기구가 사용한 전기 에너지의 양을 [   ]이라 하고, 전기 기구가 일정 시간 동안 사용한 전기 에너지의 양을 [   ]이라고 한다.

🔲 답 소비 전력, 전력량

[예제] 가정에서 사용하는 전기 기구의 에너지 전환을 나타낸 것으로 옳지 않은 것은?

① 형광등: 전기 에너지 → 빛에너지

✓② 에어컨: 전기 에너지 → 화학 에너지

③ 오디오: 전기 에너지 → 소리 에너지

④ 전기주전자: 전기 에너지 → 열에너지

⑤ 진공청소기: 전기 에너지 → 운동 에너지

🔦 기억해요!

텔레비전에서는 전기 에너지가 빛에너지, [   ] 에너지, 열에너지 등으로 전환되며, 배터리를 충전할 때는 전기 에너지가 [   ] 에너지로 전환된다.

🔲 답 소리, 화학

핵심 정리 05　별의 연주 시차

● **시차**

관측자의 ⑩ [   ]에 따라 물체의 겉보기 방향이 달라지는 정도

● **별의 연주 시차**

지구에서 6개월 간격으로 별을 관측했을 때 나타나는 시차의 ② [   ]에 해당하는 값

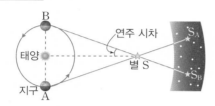

- 별의 연주 시차는 거리가 먼 별일수록 작다. ➡ 반비례
- 별은 매우 멀리 떨어져 있으므로 연주 시차는 매우 작다.
  ➡ 초(″) 단위를 사용

핵심 정리 06　별의 연주 시차와 거리의 관계

● **별의 거리 단위**

- 1 pc(파섹): 연주 시차가 ⑩ [   ]인 별까지의 거리
- 1 LY(광년): 빛이 1년 동안 가는 거리
  (1 pc ≒ 3.26 LY)
- 1 AU(천문단위): 지구와 태양 사이의 평균 거리

● **연주 시차와 거리의 관계**

➡ 연주 시차의 단위를 초(″)로 하여, 별까지의 거리를 파섹(pc)으로 나타냄.

$$별까지의 거리(pc) = \frac{1}{연주 시차(″)}$$

- 대부분 별은 매우 멀리 떨어져 있으므로 연주 시차 측정이 어렵다. 따라서 연주 시차는 비교적 ② [   ] 거리에 있는 별까지의 거리를 구할 때 활용할 수 있다.

핵심 정리 07　별의 밝기와 거리의 관계

● **별의 밝기와 거리의 관계**

별의 밝기는 거리의 제곱에 ⑩ [   ]한다.

$$별의 밝기 ∝ \frac{1}{별까지의 거리^2}$$

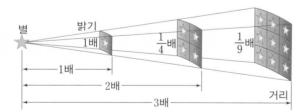

● **별의 밝기 비교**

별의 실제 밝기를 비교하려면 ② [   ]에 따른 차이를 고려해야 한다.

핵심 정리 08　겉보기 등급

● **별의 등급**

- 별의 밝기를 등급으로 표시
  ➡ 등급의 숫자가 ⑩ [   ] 밝은 별
- 1 등급 차이는 약 2.5배 밝기 차이가 나며, 따라서 5 등급 차이는 밝기 차이가 100배이다.

6 등급　5 등급　4 등급　3 등급　2 등급　1 등급

☆ →2.5배 ☆ →2.5배 ★ →2.5배 ★ →2.5배 ★ →2.5배 ★

◀── 어둡다　　　100배　　　밝다 ──▶

● **겉보기 등급**

관측자에게 보이는 별의 밝기를 상대적으로 비교하여 나타낸 등급(② [   ]는 고려하지 않음.)

➡ 겉보기 등급 수치가 작을수록 밝게 보이는 별

[예제] 표는 지구에서 관측한 별 A~D까지의 거리를 나타낸 것이다.

별	A	B	C	D
거리(pc)	20	11	32	2

연주 시차가 가장 작은 별과 가장 큰 별을 순서대로 옳게 짝 지은 것은?

① A, B   ② A, C   ③ C, B

✓④ C, D   ⑤ D, A

🔦 기억해요!

별의 거리와 연주 시차는 [　　　] 관계로, 지구에서 멀리 있는 별일수록 연주 시차는 작다. 연주 시차가 1″인 별까지의 거리를 [　　　]이라고 한다.

📋 답 반비례, 1 pc(파섹)

[예제] 별의 연주 시차에 대한 설명으로 옳은 것을 〈보기〉에서 모두 고르시오.

┌ 보기 ┐
ㄱ. 시차의 절반에 해당한다.
ㄴ. 연주 시차는 3개월 간격으로 관측한다.
ㄷ. 거리가 1 pc인 별의 연주 시차는 1″이다.
ㄹ. 별까지의 거리가 가까울수록 연주 시차는 작아진다.
└─────┘

(ㄱ, ㄷ   )

🔦 기억해요!

지구가 태양 주위를 공전함에 따라 별을 관측하는 지구의 위치가 달라지면 별의 [　　　] 위치도 달라진다. 6개월 간격으로 지구에서 측정한 시차의 절반에 해당하는 값을 [　　　]라고 한다.

📋 답 겉보기, 연주 시차

[예제] 별의 밝기와 등급에 대한 설명으로 옳은 것을 〈보기〉에서 모두 고르시오.

┌ 보기 ┐
ㄱ. 등급의 숫자가 클수록 밝은 별이다.
ㄴ. 1 등급 차이는 약 2.5배의 밝기 차이가 난다.
ㄷ. 겉보기 등급이 6 등급인 별은 1 등급인 별보다 $\frac{1}{100}$ 배로 어둡게 보인다.
ㄹ. 겉보기 등급은 별까지의 거리는 고려하지 않고 관측자에게 보이는 상대적 밝기를 나타낸 것이다.
└─────┘

(ㄴ, ㄷ, ㄹ   )

🔦 기억해요!

겉보기 등급은 관측자에게 보이는 별의 밝기를 [　　　]으로 비교하여 나타낸 것으로 등급 수치가 [　　　]수록 어둡게 보이는 별이다. 1 등급 차이마다 약 2.5배의 밝기 차이가 난다.

📋 답 상대적, 클

[예제] 어떤 별의 밝기가 처음의 $\frac{1}{25}$ 배로 어두워졌다면, 지구에서 별까지의 거리는 어떻게 변한 것인가? (단, 별의 밝기 변화에 영향을 미치는 요인은 거리뿐이다.)

① 3배 멀어졌다.

✓② 5배 멀어졌다.

③ 25배 멀어졌다.

④ $\frac{1}{5}$ 배로 가까워졌다.

⑤ $\frac{1}{25}$ 배로 가까워졌다.

🔦 기억해요!

밤하늘의 별들은 밝기가 매우 다양하다. 이 중 밝게 보이는 별은 많은 [　　　]을 방출하여 밝게 보이는 경우도 있지만, [　　　]가 가까워서 밝게 보이는 경우도 있다.

📋 답 빛, 거리

핵심 정리 09 절대 등급

● **절대 등급**

별이 지구에서 [①] 거리에 있다고 가정할 때의 등급

→ 별의 실제 밝기 비교 가능

● **겉보기 등급과 절대 등급의 관계**
- 거리가 10 pc보다 먼 별 → 겉보기 등급 > 절대 등급
- 거리가 10 pc보다 가까운 별 → 겉보기 등급 < 절대 등급
- 거리가 10 pc인 별 → 겉보기 등급 = 절대 등급

● **별의 등급과 거리의 관계**

(겉보기 등급 − 절대 등급)의 값이 [②] 가까이 있는 별이다.

답 ❶ 10 pc ❷ 작을수록

핵심 정리 10 별의 색과 표면 온도

● **별의 색이 다른 이유**

별의 [①] 가 다르기 때문

● **별의 색과 표면 온도의 관계**

표면 온도가 낮을수록 [②] 을 띠고, 표면 온도가 높아짐에 따라 점차 황색과 백색을 거쳐 청색을 띤다.

색	청색	청백색	백색	황백색	황색	주황색	적색
별	민타카	스피카	직녀성	프로키온	태양	알데바란	베텔게우스

온도 ← 높다 ─── 표면 온도 ─── 낮다 →

답 ❶ 표면 온도 ❷ 적색

핵심 정리 11 은하수

● **은하수**

'은빛 강물'이라는 뜻으로, 밤하늘을 가로지르는 희미한 빛의 띠

→ 수많은 별빛이 합쳐진 영역이 [①] 모양으로 나타나는 것

● **은하수의 관측**

주변에 빛이 없는 맑은 날 밤에 관측이 가능하며, 은하수는 지구에서 관측한 [②] 일부분의 모습이다.

답 ❶ 띠 ❷ 우리은하

핵심 정리 12 우리은하

● **우리은하**

태양계가 속해 있는 은하

● **우리은하의 모양**
- 위에서 보면 별들이 밀집해 있는 [①] 모양의 중심부가 있고, 그 주변에 별들이 나선 모양으로 분포하는 나선팔이 있다.
- 옆에서 보면 중심부가 부풀어 있는 납작한 원반 모양

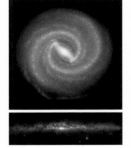

● **우리은하의 크기**

지름이 약 30 kpc으로, 약 2000억 개의 별들을 포함하며, [②] 는 은하 중심에서 약 8.5 kpc 떨어진 나선팔에 위치한다.

답 ❶ 막대 ❷ 태양계

[예제] 표는 별 A~D의 색을 나타낸 것이다.

별	A	B	C	D
색	황백색	청색	백색	적색

이에 대한 설명으로 옳은 것을 〈보기〉에서 모두 고르시오.

┌ 보기 ┐
ㄱ. 지구에서 가장 밝게 보이는 별은 A이다.
ㄴ. 표면 온도가 가장 높은 별은 B이다.
ㄷ. C는 D보다 표면 온도가 높다.

(ㄴ, ㄷ   )

🔦 기억해요!

별의 색이 다른 까닭은 별의 [ ]가 다르기 때문이다. 별의 색은 표면 온도가 낮을수록 적색을 띠고, 표면 온도가 높아짐에 따라 점차 황색과 백색을 거쳐 [ ]을 띤다.

답 표면 온도, 청색

[예제] 표는 별 A~C의 겉보기 등급과 절대 등급을 나타낸 것이다.

별	A	B	C
겉보기 등급	+2.6	+3.0	-2.2
절대 등급	-1.7	+3.0	+3.1

거리가 먼 별부터 순서대로 옳게 나열한 것은?

✓① A - B - C   ② A - C - B
③ B - A - C   ④ C - A - B
⑤ C - B - A

🔦 기억해요!

별이 10 pc의 거리에 있다고 가정할 때의 등급을 [ ]이라고 한다. 절대 등급은 별까지의 거리가 모두 10 pc으로 같다고 가정했을 때의 등급이므로 별의 [ ]를 비교할 수 있다.

답 절대 등급, 실제 밝기

[예제] 우리은하에 대한 설명으로 옳은 것을 〈보기〉에서 모두 고르시오.

┌ 보기 ┐
ㄱ. 위에서 보면 중심부가 막대 모양이다.
ㄴ. 지름이 약 8.5 kpc이다.
ㄷ. 태양계는 우리은하의 중심에 위치한다.
ㄹ. 위에서 보면 중심부 주변에 나선팔이 있다.

(ㄱ, ㄹ   )

🔦 기억해요!

우주 공간에는 수많은 별로 이루어진 거대한 천체 집단이 있는데, 이를 [ ]라고 한다. 우주에 있는 무수히 많은 은하 중 태양계가 속해 있는 은하를 [ ]라고 한다.

답 은하, 우리은하

[예제] 은하수에 대한 설명으로 옳지 않은 것은?
① 수많은 별들의 집단이다.
② 밤하늘에서 띠 모양으로 보인다.
③ 지구에서 본 우리은하 일부분의 모습이다.
✓④ 겨울철이 여름철보다 더 뚜렷하게 관측된다.
⑤ 맑은 날 불빛이 없는 어두운 곳에서 잘 보인다.

🔦 기억해요!

맑은 날 불빛이 없는 어두운 곳에서는 하늘을 가로지르는 희미한 빛의 [ ]를 볼 수 있다. 이것을 [ ]라고 하는데 이는 '은빛 강물'이라는 뜻으로, 우리은하의 일부분의 모습이다.

답 띠, 은하수

핵심 정리 13 　성단

● **성단**

많은 수의 별들이 집단을 이루고 있는 천체

● **산개 성단**

수십~수만 개의 별들이 일정한 모양 없이 모여 있는 성단으로, 주로 ❶ [　　　]의 젊은 별들로 구성

● **구상 성단**

수만~수십만 개의 별들이 공 모양으로 빽빽하게 모여 있는 성단으로, 주로 ❷ [　　　]의 늙은 별들로 구성

▲ 산개 성단

▲ 구상 성단

답 ❶ 푸른색 ❷ 붉은색

핵심 정리 14 　성운

● **성간 물질**

성간 공간에 희박하게 분포하는 기체와 먼지들

● **성운**

❶ [　　　]이 지역에 따라 밀집되어 마치 구름처럼 보이는 것으로, 주로 우리은하의 ❷ [　　　]에 분포

● **성운의 종류**

특징에 따라 방출 성운, 반사 성운, 암흑 성운으로 구분할 수 있다.

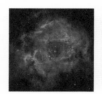
▲ 방출 성운

▲ 반사 성운

▲ 암흑 성운

답 ❶ 성간 물질 ❷ 나선팔

핵심 정리 15 　과학 기술과 인류 문명의 관계

● **과학 기술과 인류 문명의 발달**

- 금속의 발견: 석기 시대에서 청동기, 철기 시대로 넘어가는 결정적 계기
- 증기 기관의 발명: ❶ [　　　]의 원동력
- 전기의 사용: 전기가 증기 기관을 대체

● **과학 기술이 가져온 변화**

- 직업의 변화: 농업이나 어업에서 공업이나 서비스업으로 변화 ➡ 새로운 ❷ [　　　] 등장
- 문화와 예술의 변화: 과학 기술과 음악, 미술이 융합된 새로운 예술 분야 등장

● **과학 기술이 인류 문명 발달에 미친 영향**

- 과학적 발견: 암모니아의 합성, 페니실린의 발견 등
- 기술의 발달: 컴퓨터의 발명, 유전자 분석 기술 등
- 기기의 발명: 망원경의 발명, 현미경의 발명 등

답 ❶ 산업 혁명 ❷ 직업

핵심 정리 16 　창의적 설계

● **창의적 설계 방법의 3단계**

- 정의하기: 해결하고 싶은 문제나 상황을 정의
- 최적화하기: 해결책을 비교하여 시험하고 평가

- 해결책 찾기: 가능성 있는 해결책을 모형이나 그림으로 표현

➡ 창의적 설계 방법은 항상 순서대로 진행되지는 않으며, 경우에 따라서는 ❶ [　　　]를 바꿀 수 있다.

➡ 최종 제품의 완성도를 높이기 위해 창의적 설계 방법의 3단계는 계속 ❷ [　　　]되는 것이 일반적이다.

답 ❶ 순서 ❷ 반복

[예제] 성운의 특징에 대한 설명으로 옳은 것을 〈보기〉에서 모두 고르시오.

┤ 보기 ├
ㄱ. 성운은 성간 물질로 구성되어 있다.
ㄴ. 방출 성운은 붉은색 빛을 내는 성운이다.
ㄷ. 반사 성운은 주변의 별로부터 에너지를 받아 스스로 빛을 낸다.
ㄹ. 암흑 성운은 뒤에서 오늘 별빛을 증폭시켜 더욱 밝아 보이도록 한다.

(ㄱ, ㄴ)

🔦 기억해요!

별과 별 사이의 넓은 공간에는 기체와 먼지들이 희박하게 퍼져 있는데, 이를 □□□□이라고 한다. 성간 물질은 지역에 따라 밀집되어 구름처럼 보이기도 하는데, 이를 □□이라고 한다.

답 성간 물질, 성운

[예제] 성단에 대한 설명에서 ㉠, ㉡에 들어갈 알맞은 말을 순서대로 옳게 나타낸 것은?

㉠( ) 성단은 별들이 일정한 모양 없이 모여 있는 성단으로, 주로 푸른색의 젊은 별들로 구성된다. 한편, ㉡( ) 성단은 별들이 공 모양으로 빽빽하게 모여 있는 성단으로, 주로 붉은색의 늙은 별들로 구성된다.

① 암흑, 구상   ② 산개, 방출
✓③ 산개, 구상   ④ 반사, 방출
⑤ 방출, 암흑

🔦 기억해요!

성단은 별이 모여 있는 □□에 따라 산개 성단과 구상 성단으로 구분한다. 산개 성단은 대부분 우리은하의 나선팔에 분포하고, 구상 성단은 우리은하의 □□□와 은하 원반을 둘러싼 구형의 공간에 많이 분포한다.

답 모양, 중심부

[예제] 창의적 설계 방법을 이용하여 새로운 제품을 고안하는 과정에 대한 설명으로 옳은 것을 〈보기〉에서 모두 고르시오.

┤ 보기 ├
ㄱ. 창의적 설계 방법은 항상 순서대로 진행된다.
ㄴ. 최적화하기 단계에서는 해결책을 비교하여 시험하고 평가한다.
ㄷ. 해결책 찾기 단계에서는 해결하고 싶은 문제나 상황을 정의한다.

(ㄴ)

🔦 기억해요!

과학 기술이 발달함에 따라 우리의 삶은 풍요롭고 편리해졌지만, 새로운 과학 기술에 대해 □□□뿐만 아니라 사회적인 영향과 □□□□ 측면 등을 신중하게 고려해야 한다.

답 유용성, 윤리적인

[예제] 과학 기술의 발달이 인류 문명의 발달에 미친 영향으로 볼 수 없는 것은?

① 인류의 삶에 편의성을 가져왔다.
② 인간의 활동 범위가 크게 확대되었다.
③ 새로운 산업의 등장으로 직업의 모습이 변화하였다.
✓④ 공업 사회에서 농업 사회로 변화하는 계기가 되었다.
⑤ 표현의 한계가 확장되어 새로운 예술 분야가 등장했다.

🔦 기억해요!

인류는 □□□□을 관찰하고 원리를 이해하기 위해 끊임없이 노력해 왔다. 그리고 새로운 기술과 □□를 발명하고 사용하여 여러 가지 문제를 해결해 왔다.

답 자연 현상, 도구

중학 과학 기초 향상 기본서

2021 신간

그림으로 개념 잡는 **왕기초** 중학 과학!

시작은 **하루 과학**

쉽고 빠른 기초력 향상

가장 쉬운 중학 과학을 만나다!
교과서 필수 개념만 모아
쉽고 빠르게 기초 CLEAR!

1·6·5·4 프로젝트

하루 6쪽, 주 5일, 4주 완성으로
빠르고 체계적인 구성으로
매일매일 공부 습관 형성에 GOOD!

재미있는 시각 자료

복잡하고 어려운 설명은 NO!
흥미로운 이미지, 퀴즈, 만화로
가장 오~래 남는 학습법!

중학 과학의 첫걸음
시작은 하루 과학!
중 1~3(학기별/총 6권)

book.chunjae.co.kr

교재 내용 문의	⋯⋯⋯⋯⋯⋯	교재 홈페이지 ▶ 중등 ▶ 교재상담
교재 내용 외 문의	⋯⋯⋯⋯⋯	교재 홈페이지 ▶ 고객센터 ▶ 1:1문의
발간 후 발견되는 오류	⋯⋯⋯⋯	교재 홈페이지 ▶ 중등 ▶ 학습지원 ▶ 학습자료실

7일 끝

중간고사 기말고사

7일 끝으로 끝내자!

중학 **과학 3-2**

BOOK 3

정답과 해설

천재교육

7일 끝

정답과 해설

7일 끝 중간

✦ 1일 세포 분열

기초 확인 문제

11, 13쪽

01 ㄴ, ㄷ　　**02** (1) ㄴ (2) ㄷ　　**03** ④　　**04** (1) ㄴ, ㄷ (2) (가) XX, 여자, (나) XY, 남자　　**05** (가) 후기, (나) 전기, (다) 중기　　**06** (1) ○ (2) ○ (3) × (4) ×　　**07** 4개　　**08** (가) 동물 세포, (나) 식물 세포　　**09** (1) ㄴ (2) ㄱ (2) ㄷ　　**10** 생장점

01 ㄴ. 세포가 클수록 필요한 물질이 세포의 중심까지 이동하기 어렵다.

ㄷ. 세포의 부피에 대한 표면적의 비가 클수록 물질 교환이 효율적으로 일어난다.

> **오답 풀이**

ㄱ. 세포의 크기가 커질수록 표면적이 늘어나는 비율보다 부피가 늘어나는 비율이 커지면서 부피당 표면적의 비($\frac{표면적}{부피}$)는 작아진다.

한 변의 길이(cm)		1	2	3
표면적(cm²)	계산	1×1×6	2×2×6	3×3×6
	값	6	24	54
부피(cm³)	계산	1×1×1	2×2×2	3×3×3
	값	1	8	27
$\frac{표면적}{부피}$	계산	$\frac{6}{1}$	$\frac{24}{8}$	$\frac{54}{27}$
	값	6	3	2

> 📺 **자료 분석+** 세포가 분열하는 까닭

1 cm　　2 cm　　3 cm

식용 색소가 퍼지는 속도는 같지만, 한 변의 길이가 3 cm인 것은 겉부분만 붉은색으로 변하고 한 변의 길이가 1 cm인 것은 중심까지 붉은색으로 변하였다. → 세포의 크기가 클수록 필요한 물질이 세포 중심까지 이동하기 어렵다는 것을 알 수 있다.

02 번식은 단세포 생물에서 분열에 의해 만들어진 두 개의 세포가 각각 하나의 개체가 되는 것을 말한다.

(1) 사람은 한 개의 수정란에서 시작되어 성인이 되면 온몸의 수많은 세포를 갖게 된다.

(2) 상처 부위에 새 살이 돋는 것도 세포 분열을 통해 새로 만들어진 세포가 기존 세포를 대체하는 것이다.

03 ①, ③ A는 염색체이다. 염색체는 유전 물질인 DNA(C)와 단백질로 구성되어 있다.

② B는 DNA에서 유전 정보를 저장하고 있는 유전자이다.

④, ⑤ ㉠과 ㉡은 하나의 염색체를 구성하는 염색 분체이다. 염색 분체는 DNA가 복제되어 형성된 것이므로 유전자 구성이 같다.

04 (1) ㄴ. 생물체는 생물의 종류에 따라 고유한 모양과 수의 염색체를 가진다. 사람은 남자와 여자 모두 46개의 염색체를 가지며, 그 중 1~22번 염색체는 남녀 공통으로 가지는 상염색체이다.

ㄷ. 같은 번호의 크기와 모양이 같은 1쌍의 염색체는 상동 염색체로, 하나는 어머니에게서, 다른 하나는 아버지에게서 물려받은 것이다.

> **오답 풀이**

ㄱ. 성을 결정하는 염색체는 성염색체로 여자는 XX, 남자는 XY로 구성된다.

(2) (가)는 성염색체가 XX이므로 여자의 염색체이고, (나)는 성염색체가 XY이므로 남자의 염색체이다.

> 📺 **개념 체크+** 사람의 염색체
>
> • 사람의 염색체 수는 46개(23쌍의 상동 염색체)이다.
> • 남녀 공통으로 가지는 상염색체는 44개(22쌍)이다.
> • 성을 결정하는 성염색체는 2개(1쌍)로, 남자는 XY, 여자는 XX이다.
> • 남자의 염색체 구성 : 44 + XY
> • 여자의 염색체 구성 : 44 + XX
> 　　　　　　　　상염색체　성염색체

05 (가)는 염색체가 방추사에 의해 세포의 양극으로 이동

하고 있으므로 후기이다.

(나)는 핵막이 사라지고 두 가닥의 염색 분체로 된 염색체가 나타나고 있으므로 전기이다.

(다)는 염색체가 세포 중앙에 배열되어 있으므로 중기이다.

06 (1), (2) 체세포 분열의 전기에는 핵막이 사라지고, 간기에 복제된 DNA가 응축되어 막대 모양의 염색체가 나타난다. 염색체는 두 가닥의 염색 분체로 이루어져 있으며, 방추사가 형성된다.

(3) 염색체가 실처럼 풀어지는 시기는 말기이다.

(4) 염색 분체가 분리되어 세포 양극으로 이동하는 시기는 후기이다.

07 체세포 분열 결과 생성된 딸세포의 염색체 수는 모세포의 염색체 수와 같다.

> 📺 **개념 체크⁺** 체세포 분열과 염색체 수
>
> • 세포가 분열하기 전 DNA가 복제되므로 세포 분열이 시작될 때 염색체는 두 가닥의 염색 분체로 되어 있다. 염색 분체는 유전 정보가 서로 같다.
> • 세포가 분열하면서 두 가닥의 염색 분체는 각각 2개의 딸세포로 나뉘어 들어간다. 따라서 모세포와 염색체 수가 똑같은 2개의 딸세포가 생성된다.
>
>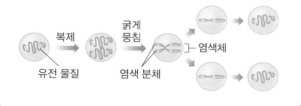

08 동물 세포는 세포질 분열 시 세포막이 안쪽으로 함입된다. 식물 세포는 새로 생성된 두 개의 딸핵 사이에 세포판이 형성되고, 이 세포판이 자라면서 세포질이 둘로 분리된다.

09 (1) 아세트올세인 용액이나 아세트산 카민 용액은 핵과 염색체를 붉게 염색한다.

(2) 묽은 염산에 넣고 50 ℃~60 ℃ 정도로 물중탕하는

것은 세포가 잘 분리되도록 조직을 연하게 하는 해리 과정이다.

(3) 에탄올과 아세트산 혼합액에 넣어 두는 것은 세포가 생명 활동을 멈추고 살아 있을 때의 모습을 유지하도록 하는 고정 과정이다.

10 생장점은 체세포 분열을 하여 길이 생장이 일어나는 곳으로, 세포 분열이 활발히 일어난다. 뿌리의 생장점은 뿌리 끝에 위치한다.

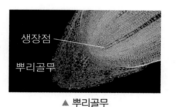

▲ 뿌리골무

내신 기출 베스트   14~15쪽

1 ㄴ	**2** ②	**3** ③	**4** (1) 염색 분체, 같다.

(2) 상동 염색체, 다르다.   **5** (다) → (나) → (가) → (라) → (마)

6 (1) (가) (2) 세포판   **7** ②   **8** (다) → (나) → (가)

---

1 ㄴ. 세포가 커질수록 $\dfrac{\text{표면적}}{\text{부피}}$ 값이 작아지면서 세포막을 통한 물질 교환이 불리해지므로 세포의 크기가 계속 커지는 것보다 세포가 분열하여 세포의 수가 늘어나는 것이 물질 교환에 더 유리하다.

오답 풀이

ㄷ. 한 변의 길이가 늘어날수록 표면적이 늘어나는 비율보다 부피가 늘어나는 비율이 커지면서 $\dfrac{\text{표면적}}{\text{부피}}$ 값이 점점 작아진다.

2 염색체의 특징은 다음과 같다.

① 염색체는 유전 정보를 담아 전달하는 역할을 한다.

② 세포가 분열하지 않을 때 염색체는 실처럼 풀어져 있다.

③, ④ 염색체 수는 생물종에 따라 다르고, 같은 종의 생물은 같은 수의 염색체를 갖는다.

⑤ 체세포에는 모양과 크기가 같은 염색체 쌍이 있는데, 이것을 상동 염색체라고 하며 각각 아버지와 어머니에게서 1개씩 물려받은 것이다.

3 사람의 염색체는 46개(23쌍의 상동 염색체)이며, 그 중 상염색체는 44개(22쌍)이다. 성염색체는 2개(1쌍)로 여자는 XX, 남자는 XY이다. 그림의 성염색체는 XY이므로 이 사람은 남자이다.

4 A와 B는 간기에 DNA가 복제되어 형성된 염색 분체이고, (가)와 (나)는 상동 염색체이다.
(1) 분열하기 전 DNA가 복제되어 두 가닥의 염색 분체가 되므로, 하나의 염색체를 이루는 두 가닥의 염색 분체는 유전 정보가 서로 같다.
(2) 상동 염색체는 크기와 모양이 같은 염색체로 부모 양쪽으로부터 각각 하나씩 받은 것이다. 따라서 유전 정보가 서로 다르다.

5 체세포 분열 과정은 '간기(다) → 전기(나) → 중기(가) → 후기(라) → 말기(마)' 순으로 일어난다.
(가): 염색체가 세포 중앙에 배열되어 있으므로 중기이다.
(나): 핵막이 사라지고 염색체가 나타나고 있으므로 전기이다.
(다): 핵막이 있고 염색체가 관찰되지 않으므로 간기이다.
(라): 염색체가 방추사에 의해 세포 양극으로 이동하고 있으므로 후기이다.
(마): 세포판이 형성되어 세포질이 둘로 나누어지고 있으므로 말기이다.

6 (1) 세포막이 바깥쪽에서 안쪽으로 잘록하게 들어가 세포질이 둘로 나누어지는 (가)가 동물 세포이다.
(2) 식물 세포는 세포 중앙에서 바깥쪽으로 세포판(A)이 만들어져 세포질이 둘로 나누어진다.

7 세포를 잘 관찰하기 위해서는 붙어 있는 세포들을 가능한 분리시켜야 한다. 이를 위해 해부침으로 세포를 분리하는데, 세포벽의 성분 중 펙틴이라는 성분으로 인해 세포가 잘 분리되지 않는다. 세포를 묽은 염산에 처리하면 세포벽의 펙틴 성분이 녹아 세포들을 쉽게 분리할 수 있다.

오답 풀이
③ 핵을 염색하기 위해서는 아세트올세인 용액이나 아세트산 카민 용액을 떨어뜨린다.
⑤ 세포를 에탄올과 아세트산 혼합액에 넣어두면 세포가 분열하던 상태로 고정된다.

8 (가)는 염색, (나)는 해리, (다)는 고정 단계이다.

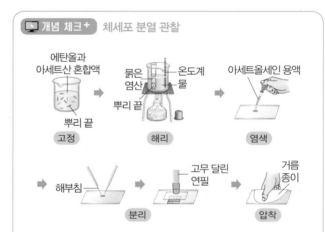

개념 체크+ 체세포 분열 관찰

• 체세포 분열 관찰 재료: 양파의 뿌리 끝 ➡ 뿌리 끝에는 체세포 분열이 활발하게 일어나는 생장점이 있기 때문
• 체세포 분열 관찰 순서: 고정(살아 있는 상태 유지) → 해리(조직을 연하게) → 염색(핵과 염색체 염색) → 분리(세포 분리) → 압착(한 층으로 얇게 폄) → 관찰
• 염색액: 아세트올세인 용액이나 아세트산 카민 용액

2일 생식세포 분열/사람의 발생

01 (1) 2가 염색체 (2) ④

02 (1) (가) (2) (나) (3) (다) (4) (다) (5) (라)

03 ③　　　　　　**04** ㉠ 1, ㉡ 2, ㉢ 2, ㉣ 4, ㉤ 생식세포

05 (1) 체세포 분열 중기 (2) 감수 1분열 중기

06 (1) A: 핵, B: 꼬리, C: 핵, D: 세포질 (2) ㄱ, ㄷ

07 (1) ㉠ 수란관 (2) ㉡ 난소 (3) ㉢ 자궁

08 ⑤　**09** ㉣　　**10** 출산

01 (1) A는 상동 염색체가 결합한 2가 염색체이다.

(2) 생식세포 분열은 '감수 1분열 전기(라) → 중기(마) → 후기(가) → 말기(나) → 감수 2분열 전기 → 중기(바) → 후기→ 말기(다)' 순으로 진행되며, 감수 1분열과 감수 2분열 사이에 DNA가 복제되는 간기가 없다.

02 (1) DNA 복제는 분열 전 간기에서 일어난다.

(2) 감수 1분열 전기에 2가 염색체가 나타난다.

(3), (4) 감수 1분열 과정에서 상동 염색체가 분리되어 서로 다른 딸세포로 들어가므로 염색체 수가 절반으로 줄어든다.

(5) 감수 2분열 과정에서 염색 분체가 분리된다.

🖥 **자료 분석+** 생식세포 분열 과정

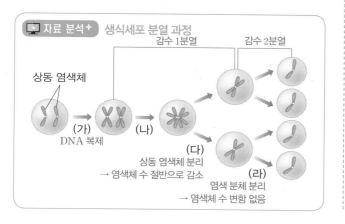

03 정자와 난자는 생식세포이다. 생물의 생식세포는 염색체 수가 체세포의 절반이다.

04 체세포 분열 결과 생성된 딸세포의 염색체 수는 모세포와 같고, 생식세포 분열을 통해 생성된 생식세포의 염색체 수는 모세포의 절반이다.

🖥 **개념 체크+** 체세포 분열과 생식세포 분열 비교

구분		체세포 분열	생식세포 분열
분열 장소		온몸	생식 기관
분열 횟수		1회	연속 2회
딸세포 수		2개	4개
염색체 수		변화 없음	반으로 줄어듦
분열 결과		생장, 재생	생식세포 형성
과정	체세포 분열		
	생식세포 분열		

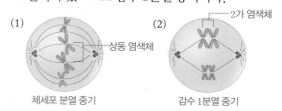

05 (1) 상동 염색체가 세포 중앙에 배열되어 있으므로 체세포 분열 중기이다.

(2) 상동 염색체가 결합한 2가 염색체가 세포 중앙에 배열되어 있으므로 감수 1분열 중기이다.

06 생식세포 분열 결과 남자에서는 정자가, 여자에서는 난자가 만들어진다. 정자와 난자는 염색체 수가 체세포의 절반인 23개로 같고, 난자는 세포질에 많은 양분을 저장하고 있어 보통 세포보다 크기가 훨씬 크다.

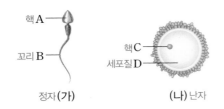

핵A, 꼬리B — 정자 (가)

핵C, 세포질D — (나) 난자

07 자궁은 수정란이 착상되어 자라는 곳이다.

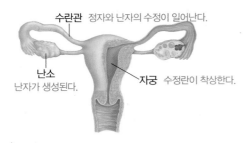

수란관 정자와 난자의 수정이 일어난다.
난소 난자가 생성된다.
자궁 수정란이 착상한다.

08 수정란의 초기 세포 분열을 난할이라고 한다. 난할은 세포 분열 후 세포가 커지지 않고 분열이 빠르게 진행되기 때문에 난할이 진행될수록 딸세포의 크기는 점점 작아진다.

> **📺 개념 체크⁺** 난할
>
>
>
> 수정란 2세포기 4세포기 8세포기 포배
>
> • 분열의 종류: 체세포 분열이다.
> • 세포 1개당 염색체 수: 변화 없다.
> • 세포 수: 증가한다.
> • 세포 1개의 크기: 점점 작아진다.
> • 배아 전체의 크기: 수정란과 비슷하다.

09 착상은 수정란이 자궁 안쪽 벽에 파묻히는 현상이다.

> **📺 자료 분석⁺** 배란에서 착상까지의 과정
>
>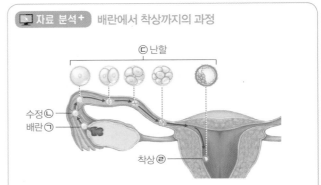
>
> ⓒ 난할
> 수정ⓒ
> 배란㉠
> 착상㉣
>
> • 배란(㉠): 성숙된 난자가 난소에서 수란관으로 배출된다.
> • 수정(ⓒ): 수란관에서 정자와 난자가 만나 수정이 이루어진다.
> • 난할(ⓒ): 수정란이 난할을 거듭하여 세포 수를 늘리며 수란관을 따라 자궁으로 이동한다.
> • 착상(㉣): 수정이 이루어진 뒤 5~7일 후에는 속이 빈 공 모양의 세포 덩어리인 포배가 되어 자궁 안쪽 벽에 파고들어 간다. → 이때부터 임신이 되었다고 한다.

10 태아는 수정된 지 약 266일이 지나면 출산 과정을 거쳐 모체 밖으로 나온다.

> **내신 기출 베스트** 22~23쪽
>
> 1 (라), (마) 2 ② 3 ③ 4 ③ 5 ③
> 6 ③ 7 ㄷ, ㄹ 8 (다) → (가) → (라) → (나)

1 감수 1분열에서 상동 염색체가 분리되어 염색체 수가 절반으로 줄어든다. 따라서 (나)와 (다)는 염색체 수가 (가)와 같고, (라)와 (마)는 염색체 수가 (가)의 절반이다.

> **📺 자료 분석⁺** 생식세포 분열
>
>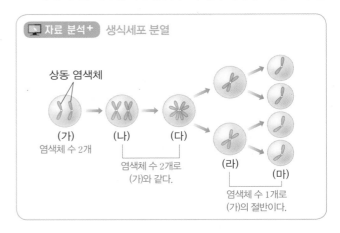
>
> 상동 염색체
>
> (가) 염색체 수 2개
> (나)
> (다) 염색체 수 2개로 (가)와 같다.
> (라)
> (마) 염색체 수 1개로 (가)의 절반이다.

2 그림은 2가 염색체가 세포 중앙에 배열되어 있으므로 감수 1분열 중기이다.

감수 1분열 중기   감수 2분열 중기

3 정자는 생식세포이므로 상동 염색체 중 하나씩만 들어 있고, 체세포에는 모양과 크기가 같은 상동 염색체가 한 쌍씩 들어 있다.

4 2가 염색체는 생식세포 분열에서만 나타난다.

5 난자는 세포질에 많은 양분을 저장하고 있어 보통 세포보다 크기가 훨씬 크다.

개념 체크+ 정자와 난자의 비교

구분	정자	난자
크기	작다	크다
운동성	있다	없다
양분	없다	있다
생성 장소	정소	난소
염색체 수	23개	23개

6 (가)는 난소, (나)는 수란관, (다)와 (라)는 자궁, (마)는 질이다. 난자와 정자가 만나서 수정하는 곳은 수란관인 (나)이고, 수정란이 착상하는 곳은 자궁인 (다)이다.

7 ㄷ. 난할이 진행되어 세포의 수가 증가해도 세포의 크기가 커지지 않고 분열이 빠르게 진행된다. 따라서 세포 하나의 크기가 점점 작아지므로 배아 전체의 크기는 수정란과 비슷하다.

ㄹ. 착상 이후 태반이 만들어지며, 태반에서 물질 교환이 일어난다.

모체 ⟷ 태아
산소, 영양소
이산화 탄소, 노폐물

오답 풀이

ㄱ. 정자와 난자의 염색체 수는 체세포의 절반이고, 수정란은 체세포와 염색체 수가 같다.

ㄴ. 수정란은 난할을 거듭하여 세포 수를 늘리며 수란관을 따라 자궁으로 이동한다.

8 배란에서 착상까지의 과정은 '(다) 배란 → (가) 수정 → (라) 난할 → (나) 착상' 순으로 일어난다.

중간

3일 멘델의 유전 원리

기초 확인 문제
27, 29쪽

01 형질, 대립 형질

02 (1) ㄴ (2) ㄱ (3) ㄷ

03 (1) 순 (2) 순 (3) 잡 (4) 순 (5) 잡 (6) 순

04 (1) 우열의 원리 (2) 분리의 법칙

05 (1) (가) Y, (나) y, (다) Y, y (2) 600개

06 ㄱ, ㄴ, ㄷ

07 (1) ㉠ RY (2) ㉡ Y, ㉢ ry (3) ㉣ RY, ㉤ y, ㉥ r, ㉦ ry

08 (1) 둥근 모양 (2) 황색 (3) 우열의 원리

09 (1) 9 : 3 : 3 : 1 (2) 3 : 1 (3) 3 : 1 (4) 4

10 ㉠ 대립, ㉡ 분리

01 생물이 가진 고유한 생김새와 특징을 형질이라고 하며, 하나의 형질에 대해 서로 뚜렷하게 구별되는 형질을 대립 형질이라고 한다.

형질	완두 씨의 색깔	완두 씨의 모양
대립 형질	황색 ↔ 녹색	둥근 모양 ↔ 주름 모양

씨의 모양과 색깔처럼 서로 다른 형질일 때는 대립 형질이라고 하지 않는다.

02 (1) 순종은 한 가지 형질을 나타내는 유전자 구성이 같은 개체이고, 잡종은 유전자 구성이 다른 개체이다.

(2) 교배는 보통 × 기호로 표시한다. 예 A와 B의 교배 → A × B

(3) 자가 수분은 한 그루에서 만들어진 암수 생식세포를 결합시키는 것으로, 같은 유전 형질을 갖는 암수끼리 교배하는 의미가 있다. 타가 수분은 다른 그루에서 만들어진 암수 생식세포를 결합시키는 것으로, 다른 유전 형질을 갖는 개체끼리의 결합인 경우가 많다.

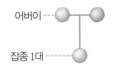

개념 체크+ 자가 수분과 타가 수분

수술의 꽃가루가 같은 그루의 꽃에 있는 암술머리에 붙는 현상

자가 수분

수술의 꽃가루가 다른 그루의 꽃에 있는 암술머리에 붙는 현상

타가 수분

03 AA, aa, AAbb, AABB와 같이 대립유전자의 구성이 같은 개체를 순종이라고 한다. Aa, AaBb와 같이 대립유전자 구성이 다른 개체를 잡종이라고 한다. YYRr의 경우 Y 형질은 순종, R 형질은 잡종이다.

04 (1) 그림은 우열의 원리를 나타낸 것이다.

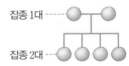

대립 형질이 다른 순종의 개체끼리 교배하여 얻은 잡종 1대에서는 대립 형질 중 한 가지만 나타난다.

(2) 그림은 분리의 법칙을 나타낸 것이다.

생식세포를 만들 때 잡종 1대의 대립유전자가 서로 다른 생식세포로 들어간다. 그 결과 잡종 1대에서 나타나지 않았던 열성 형질이 잡종 2대에서 일정한 비율(우성 : 열성 = 3 : 1)로 나타난다.

05 (1) 생식세포 분열에서 한 쌍의 대립유전자는 분리되어 각각 다른 생식세포에 들어간다. 따라서 순종인 (가)에서는 유전자 Y를 가진 생식세포가, 순종인 (나)에서는 유전자 y를 가진 생식세포가 만들어지며, 잡종인 (다)에서는 유전자 Y를 가진 것과 y를 가진 것이 1 : 1의 비율로 만들어진다.

(2) 잡종 2대에서 황색 완두 : 녹색 완두 = 3 : 1로 나타나므로 황색 완두의 개수는

$$\text{잡종 2대의 총 개수} \times \frac{3(황색)}{4(황색+녹색)}$$

$$= 800 \times \frac{3}{4} = 600(개)이다.$$

06 유전 인자는 오늘날 유전자이며, 한 쌍의 유전 인자가 서로 다를 때 하나의 유전 인자만 형질로 나타나는 것은 우열의 원리를, 한 쌍을 이루는 유전 인자는 생식세포가 만들어질 때 각 생식세포로 나뉘어 들어가는 것은 분리의 법칙을 설명하기 위한 것이다.

07 대립유전자가 같을 때는 한 종류의 생식세포가 만들어지고, 대립유전자가 서로 다를 때는 두 종류의 생식세포가 만들어진다.

(1) RRYY에서는 유전자 RY를 가진 한 종류의 생식세포가 만들어진다.

(2) rrYy에서는 유전자 rY를 가진 것과 ry를 가진 생식세포가 1 : 1로 만들어진다.

(3) RrYy에서는 RY : Ry : rY : ry = 1 : 1 : 1 : 1로 만들어진다.

08 두 쌍의 대립 형질 유전에서도 우열의 원리가 적용된다. 잡종 1대에서 모양과 색깔 모두 우성 형질인 둥근 모양과 황색만 나타난다.

09 (1) 잡종 2대에서는 둥글고 황색 : 둥글고 녹색 : 주름지고 황색 : 주름지고 녹색 = 9 : 3 : 3 : 1의 비율로 나온다.

(2), (3) 두 쌍의 대립 형질 유전에서도 분리의 법칙이 적용되므로 각 형질에서 우성 : 열성 = 3 : 1의 비율로 나타난다.

• 둥근 모양 : 주름진 모양 = 12 : 4 = 3 : 1

• 황색 : 녹색 = 12 : 4 = 3 : 1

(4) 모양과 색깔이 모두 순종인 것은 RRYY, RRyy, rrYY, rryy 4종류이다

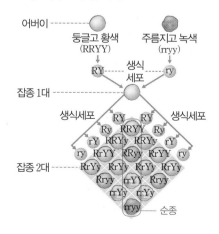

10 두 쌍 이상의 대립 형질이 동시에 유전될 때 각각의 형질을 나타내는 유전자가 서로 영향을 주지 않고 독립적으로 분리되어 유전되는 현상을 독립의 법칙이라고 한다. 즉, 완두의 모양과 색깔은 동시에 유전될 때 서로 영향을 미치지 않는다.

내신 기출 베스트 30~31쪽

1 ㄹ	2 ②	3 ④	4 ⑤	5 ㄱ, ㄴ
6 ②	7 ③	8 400개		

1 **오답 풀이**

ㄱ. RRyy는 같은 형질을 나타내는 유전자 구성이 동일한 순종이다.

ㄴ. 순종과 대립되는 용어는 잡종이고, 우성에 대립되는 용어는 열성이다.

ㄷ. 우성과 열성은 형질이 우수하거나 열등하다는 의미가 아니라 서로 다른 대립 형질을 가진 순종의 개체끼리 교배했을 때 잡종 1대에서 나타나는 형질(우성)과, 나타나지 않는 형질(열성)에 대한 정의이다.

2 세대란 번식할 수 있는 시기를 말하며, 세대가 짧을수록 결과를 빨리 볼 수 있다.

3 잡종 2대에서 나올 수 있는 자손의 유전자형 비율은 'RR : Rr : rr = 1 : 2 : 1'이다. 잡종 1대의 유전자형은 Rr이므로 잡종 2대에서 Rr가 나올 확률은 $\frac{2}{4} = \frac{1}{2}$이므로 $120 \times \frac{1}{2} = 60$(개)이다.

4 대립유전자는 상동 염색체의 같은 위치에 있으며, 완두씨의 모양을 나타내는 유전자와 색깔을 나타내는 유전자는 서로 다른 상동 염색체에 있다.

5 ㄱ. RRYY × rryy → RrYy이므로 잡종 1대의 유전자형은 RrYy이다.

ㄴ. 유전자 R를 가지면 둥근 모양이 나타나고, 유전자 Y를 가지면 황색이 나타난다. 따라서 잡종 1대는 모두 둥글고 황색 완두만 나온다.

오답 풀이

ㄷ. 생식세포가 만들어질 때 대립유전자 R와 r, Y와 y는 각각 분리되어 다른 생식세포로 들어간다. 그 결과 잡종 1대에서는 RY, Ry, rY, ry 4종류의 생식세포가 같은 비율(1:1:1:1)로 만들어진다.

6 잡종 2대에서 둥글고 황색:둥글고 녹색:주름지고 황색:주름지고 녹색 = 9:3:3:1의 비율로 나타난다. 이 중 둥글고 황색인 완두의 개수는

$$1600 \times \frac{3(주름지고\ 황색)}{16(전체)} = 300(개)이다.$$

7 잡종의 둥글고 황색인 완두(RrYy)에게서 나올 수 있는 생식세포는 RY, Ry, rY, ry이고, 순종의 주름지고 녹색인 완두에게서 나올 수 있는 생식세포는 ry이다. 따라서 잡종 1대에서 나올 수 있는 자손의 유전자형은 RrYy, Rryy, rrYy, rryy이다.

생식세포	RY	Ry	rY	ry
ry	RrYy	Rryy	rrYy	rryy

8 색깔은 모양의 유전에 영향을 미치지 않는다. 따라서 두 쌍의 대립 형질의 유전에서도 모양 형질은 색깔 형질에 영향을 받지 않고 '우성:열성=3:1'이라는 분리의 법칙을 따른다. 모양 형질에서 둥근 모양이 주름진 모양에 대해 우성이므로 잡종 2대에서 '둥근 완두:주름진 완두=3:1'로 나타난다. 따라서 주름진 완두의 개수는 잡종 2대의 총 개수 $\times \dfrac{1(주름진\ 것)}{4(둥근\ 것+주름진\ 것)} = 1600 \times \dfrac{1}{4} = 400(개)이다.$

4일 사람의 유전

기초 확인 문제   35, 37쪽

01 ㄱ, ㄷ

02 (1) ㄷ (2) ㄹ (3) ㄱ

03 (1) ○ (2) ○

04 (1) ee (2) Ee (3) Ee (4) EE 또는 Ee(알 수 없다.)

05 (가) 분리형 귓불, (나) 혀 말기 가능

06 ㄷ

07 (1) O (2) A (3) B (4) A (5) AB (6) B

08 (1) (가) AO, (나) BO (2) A형, B형, AB형, O형

09 (1) (가) XY, (나) X′X′, (다) XX′, (라) X′Y (2) (나) (3) 50 %

01 사람은 한 세대가 길고, 자손의 수가 적으며, 대립 형질이 복잡하고, 자유로운 교배가 불가능하여 유전 연구가 어렵다.

02 사람을 대상으로 유전 연구를 하기에는 어려운 점이 많기에 간접적인 방법을 많이 이용해 왔다. 하지만 현대에는 유전자 분석을 통한 직접적인 연구 방법을 많이 사용한다.

03 그림은 1란성 쌍둥이의 발생 과정이다. 1란성 쌍둥이는 하나의 수정란이 두 개로 분리되어 자라므로 유전자 구성이 같다. 따라서 1란성 쌍둥이에게서 나타나는 형질의 차이를 조사하면 후천적인 환경의 영향을 알 수 있다.

💻 개념 체크➕   쌍둥이 연구

• 서로 다른 환경에서 자란 1란성 쌍둥이와 같은 환경에서 자란 2란성 쌍둥이의 특정 형질을 비교 연구하는 방법이다.
  ➡ 유전과 환경이 특정 형질에 끼치는 영향을 알 수 있다.

1란성 쌍둥이	2란성 쌍둥이
1개의 난자와 1개의 정자가 수정한 수정란이 발생 초기에 둘로 나뉘어 각각 발생한다.	2개의 난자가 각각 정자와 수정한 2개의 수정란이 동시에 발생한다.
→ 유전자 구성이 서로 같다.	→ 유전자 구성이 서로 다르다.
형질 차이는 환경의 영향으로 나타난다.	형질 차이는 유전과 환경의 영향으로 나타난다.

04 가계도 조사에서 유전자형을 파악할 때는 열성을 기준으로 부모와 자녀의 유전자형을 판단한다.

05 사람의 상염색체 유전 형질에는 보조개의 유무, 이마선의 모양, 귓불 모양, 눈꺼풀 모양, 엄지 손가락의 젖혀짐, 혀 말기 등이 있다.

06 ㄷ. 상염색체는 남녀 공통으로 갖고 있는 염색체이므로, 상염색체에 유전자가 있는 형질은 나타나는 빈도가 남녀 구분 없이 동일하다.

오답 풀이

ㄱ. 상염색체 유전은 유전자가 상염색체에 있다. Y 염색체는 성염색체이다.

ㄴ. 상염색체 유전은 성별에 관계없이 나타나는 유전으로 멘델의 유전 법칙을 잘 따른다.

07 ABO식 혈액형은 하나의 대립유전자 쌍에 의해 형질이 결정되지만, 표현형이 네 가지로 나타난다. 이것은 ABO식 혈액형 유전에 A, B, O 3개의 대립유전자가 관여하기 때문이다. 대립유전자 A, B, O 중 대립유전자 A와 B는 대립유전자 O에 대해 우성이며, 대립유전자 A와 B 사이에는 우열 관계가 없어 대립유전자 A와 B가 모두 표현된다. 따라서 ABO식 혈액형 유전에서 나타날 수 있는 유전자형은 6가지이며, 표현형은 4가지

이다. ABO식 혈액형을 결정하는 유전자도 상염색체에 있다.

08 (1) 딸이 O형이므로 아버지와 어머니는 대립유전자 O를 가지고 있다. 따라서 아버지의 ABO식 혈액형 유전자형은 AO, 어머니의 유전자형은 BO이다.

(2) 유전자형이 AO인 아버지로부터 생성되는 생식세포는 A와 O이다. 유전자형이 BO인 어머니로부터 생성되는 생식세포는 B와 O이다. 따라서 AO×BO → AB, AO, BO, OO가 나올 수 있으므로, AB형, A형, B형, O형인 자녀가 모두 태어날 수 있다.

생식세포	A	O
B	AB	BO
O	AO	OO

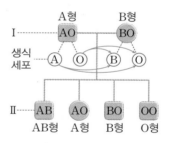

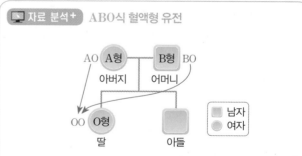

자료 분석+ ABO식 혈액형 유전

• 유전자형이 OO일 때만 O형이 된다. 따라서 딸의 혈액형 유전자형은 OO이다.

• O형인 자녀는 부모로부터 대립유전자 O를 하나씩 물려받는다. 따라서 아버지의 유전자형은 AO, 어머니의 유전자형은 BO이다.

09 (1) (다)는 어머니로부터 적록 색맹 대립유전자를 물려받으므로 적록 색맹 대립유전자를 1개 가지고 있는

보인자이다.

(2) 아들은 어머니로부터 X 염색체를 물려받으므로 (라)는 (나)로부터 적록 색맹 대립유전자를 물려받았다.

(3) 어머니가 색맹이면 아들은 항상 색맹이다. 따라서 셋째가 아들이면서 색맹일 확률은 50 %이다.

자료 분석+ 적록 색맹 유전

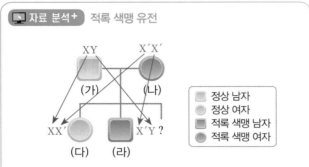

• (다)는 아버지에게서 정상 X 염색체를, 어머니에게서 적록 색맹 대립유전자가 있는 X 염색체를 물려받았으므로 유전자형이 XX′인 보인자이다.

• (라)는 어머니로부터 적록 색맹 대립유전자가 있는 X 염색체를 물려받았다. 어머니가 색맹이면 반드시 아들은 색맹이다.

내신 기출 베스트 38~39쪽

1 ④   2 ②   3 ㄱ, ㄹ   4 ②   5 ②
6 ㉢, ㉣   7 ④   8 ③

1 유전 연구에 사용되는 생물은 자유로운 교배가 가능하고, 세대가 짧으며, 자손의 수가 많고, 대립 형질이 뚜렷하고, 대립 형질이 복잡하지 않을수록 좋다. 사람은 한 세대가 길고, 자녀를 적게 낳으며, 대립 형질이 복잡하고 환경의 영향을 많이 받는다. 또한 자유로운 교배가 불가능하여 유전 연구가 어렵다. 따라서 사람의 유전 연구는 가계도 조사나 통계 조사와 같은 간접적인 방법을 이용하며, 최근에는 유전자 분석을 통해 유전 연구가 활발히 진행되고 있다.

2 (가)는 가계도 조사, (나)는 통계 조사 방법이다.

3 열성 형질 사이에서는 열성 형질인 자녀만 태어나므로 부모에서 없던 형질이 자녀(라)에게 나타나면 부모의 형질이 우성, 자녀의 형질이 열성이다. 따라서 (가)와 (나)는 잡종, (라)는 순종이고, (다)는 잡종인지 순종인지 확실히 알 수 없다.

4 상염색체 유전은 남녀에 따라 형질이 나타나는 빈도에 차이가 없다. 남녀에 따라 형질이 나타나는 빈도가 다른 유전은 성염색체에 의한 유전으로, 그 예로 적록 색맹이 있다.

5 부모에게 없던 형질이 자녀에게 나타났으므로 민수의 형질(부착형)이 열성이고, 민수 부모는 부착형 대립유전자를 하나씩 가지고 있다. 따라서 분리형 대립유전자를 E, 부착형 대립유전자를 e라고 할 때 민수 부모의 유전자형은 모두 Ee이다. 따라서 Ee×Ee → EE, Ee, Ee, ee이므로 유전자형이 EE인 분리형 귓불이 나올 확률은 $\frac{1}{4}$(25 %)이다.

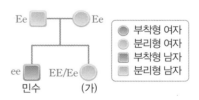

6 ㉤이 열성이므로 혀 말기 유전자형은 rr이다. 따라서 ㉠, ㉡의 유전자형은 모두 Rr이다. ㉢과 ㉣의 유전자형은 RR, Rr 두 가지가 모두 가능하다.

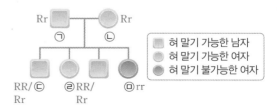

7 AB형과 O형 사이에서 태어난 B형의 유전자형은 BO이고(AB×OO → AO, BO), AB형의 유전자형은

AB이므로 BO와 AB 사이에서 태어나는 자녀는 A형(AO), AB형, B형(BB, BO)이 나올 수 있다.

8 적록 색맹은 유전자가 X 염색체에 있고, 열성이므로 남자는 적록 색맹 대립유전자가 1개만 있어도 적록 색맹이 된다. 그런데 아들의 X 염색체는 어머니에게서 물려받으므로 어머니가 적록 색맹이므로 항상 아들은 적록 색맹이다.

[오답 풀이]

②, ④ 딸은 어머니에게서 적록 색맹 대립유전자를 하나 물려받으므로 보인자이며, 아버지가 정상이므로 적록 색맹이 될 확률은 0 %이다.

⑤ 남자는 X 염색체가 1개이므로 보인자가 될 수 없다.

5일 역학적 에너지 전환과 보존

기초 확인 문제
43, 45쪽

01 (가): 위치 에너지, (나): 운동 에너지

02 ㄴ, ㄷ

03 ㉠ 위치, ㉡ 운동, ㉢ 위치

04 ㄷ

05 A=B=C=D

06 역학적 에너지 보존 법칙

07 화학 에너지

08 (1) ㄴ (2) ㄷ (3) ㄹ (4) ㄱ

09 (1) ㉢ (2) ㉠ (3) ㉡

10 ㉠ 열에너지, ㉡ 전기 에너지

11 에너지 보존 법칙

01 위로 던져 올린 물체의 위치 에너지는 증가하고 운동 에너지는 감소한다. 자유 낙하 하는 물체의 위치 에너지는 감소하고 운동 에너지는 증가한다.

02 ㄴ. 위로 던져 올린 물체의 운동 에너지는 점점 감소하고, 위치 에너지는 점점 증가한다.

ㄷ. 역학적 에너지는 위치 에너지와 운동 에너지의 합이다.

[오답 풀이]

ㄱ. 자유 낙하 하는 물체의 운동 에너지는 점점 증가하고, 위치 에너지는 점점 감소한다.

03 물체가 최고 높이에 도달하는 순간 물체는 순간적으로 정지해 속력이 0이 되므로 물체의 위치 에너지는 최대이고, 운동 에너지는 0이다. 따라서 최고 높이에서 물체의 역학적 에너지는 위치 에너지와 같다.

04 롤러코스터가 위로 올라가는 구간에서 운동 에너지가 위치 에너지로 전환된다.

05 위치 에너지와 운동 에너지의 합이 역학적 에너지이며, 역학적 에너지는 모든 지점에서 일정하게 보존된다. 따라서 모든 지점에서 역학적 에너지는 같다.

06 마찰이나 공기 저항이 없을 때 운동하는 물체의 역학적

에너지는 높이에 관계없이 항상 일정하게 보존되는데, 이를 역학적 에너지 보존 법칙이라고 한다.

07 음식물이나 화석 연료, 전지 등의 물질 속에 저장된 에너지를 화학 에너지라고 한다.

08 빛에너지는 매질이 없는 진공에서도 전달된다.

09 (1) 광합성을 통해 태양의 빛에너지가 화학 에너지로 전환된다.
(2) 전구에서는 전기 에너지가 빛에너지로 전환된다.
(3) 천연가스나 석탄, 석유 등과 같은 화석 연료가 연소할 때는 화학 에너지가 열에너지로 전환된다.

10 헤어드라이어를 작동하면 날개가 돌아가면서 따뜻한 바람이 나온다. 이때 전기 에너지는 열에너지와 운동 에너지, 소리 에너지 등으로 전환되며, 전환된 에너지의 총량은 공급된 전기 에너지의 양과 같다.

11 에너지는 한 형태에서 다른 형태로 전환되며, 이 과정에서 에너지의 총합은 일정하게 보존된다. 이를 에너지 보존 법칙이라고 한다.

내신 기출 베스트   46~47쪽

1 ㄱ	2 C	3 ③	4 ⑤	5 ①
6 ②	7 ①	8 ④		

1 ㄱ. 물체가 위로 올라갈 때 운동 에너지가 위치 에너지로 전환되므로 운동 에너지가 점점 감소한다.

오답 풀이
ㄴ. 역학적 에너지는 위치 에너지와 운동 에너지의 합이다.
ㄷ. 물체가 자유 낙하 할 때 위치 에너지가 운동 에너지로 전환된다.

2 높이가 가장 낮은 C 지점에서 운동 에너지가 최대이다.

📺 개념 체크+ 롤러코스터의 역학적 에너지 전환
• 높은 곳에서 내려오는 롤러코스터의 속력이 점점 빨라질 때(단, 모든 마찰 무시): 운동 에너지 증가, 위치 에너지 감소
→ 감소한 위치 에너지 만큼 운동 에너지가 증가한다.
• 높은 곳으로 올라가는 롤러코스터의 속력이 점점 느려질 때(단, 모든 마찰 무시): 위치 에너지 증가, 운동 에너지 감소
→ 감소한 운동 에너지 만큼 위치 에너지가 증가한다.

3 ㄱ. 공기 저항이나 마찰이 없으면 역학적 에너지는 보존된다. 따라서 어느 지점에서나 역학적 에너지는 일정하다.
ㄴ. 물체가 자유 낙하 할 때 역학적 에너지는 보존되므로 감소한 위치 에너지 만큼 운동 에너지가 증가한다.

오답 풀이
ㄷ. 위로 던져 올린 물체의 경우 운동 에너지가 위치 에너지로 전환된다. 이때 역학적 에너지가 보존므로 증가한 위치 에너지는 감소한 운동 에너지와 같다.

4 마찰이 없으므로 구슬이 운동하는 동안 구슬의 역학적 에너지는 항상 일정하게 보존된다.

5 열에너지는 온도가 다른 물체 사이에서 이동하는 에너지로, 물체의 온도나 상태를 변화시키는 에너지이다.

📺 개념 체크+ 에너지의 종류

운동 에너지	운동하는 물체가 가지고 있는 에너지
위치 에너지	높은 곳에 있는 물체가 가지고 있는 에너지
소리 에너지	물체의 진동으로 발생하는 에너지
빛에너지	광원에서 나오는 에너지
전기 에너지	전기 제품에서 사용되는 에너지
열에너지	물체의 온도와 상태를 변화시키는 에너지
화학 에너지	물질 속에 저장된 에너지

6 빛에너지는 매질이 없는 진공에서도 전달되며, 매우 빠른 속력으로 전달된다.

7 손뼉을 칠 때는 사람의 역학적 에너지가 필요하며, 손뼉을 치면 소리가 난다. 따라서 손뼉을 칠 때는 역학적 에너지가 소리 에너지로 전환된다.

8 ㄱ, ㄴ, ㄷ. 에너지는 다른 형태의 에너지로 전환될 수 있지만 전환 과정에서 새로 생기거나 없어지지 않는다. 따라서 에너지의 총량은 항상 일정하게 보존된다.

[오답 풀이]

ㄹ. 위치 에너지와 운동 에너지의 합인 역학적 에너지는 공기 저항이나 마찰이 없을 때만 보존된다.

누구나 **100점 테스트** 1회				48~49쪽

01 ⑤	02 ④	03 ④	04 ⑤	05 ②
06 ④	07 ④	08 ③, ④	09 ②	10 ③

01 ㄴ. 크기가 커질수록 표면적이 늘어나는 정도에 비해 부피가 커지는 정도가 더 크기 때문에 $\frac{표면적}{부피}$의 값은 점점 작아진다.

구분	(가)	(나)	(다)
표면적(cm²)	6	24	54
부피(cm³)	1	8	27
표면적/부피	6	3	2

ㄷ. 물질 교환은 세포의 표면적을 통해 일어나므로 세포의 부피에 대한 표면적의 비가 커야 물질 교환이 효율적으로 일어날 수 있다. 따라서 세포의 크기가 어느 정도 커지면 분열한다.

[오답 풀이]

ㄱ. 세포가 클수록 세포의 부피에 대한 표면적의 비가 작아 물질 교환에 불리하다.

02 한 생물의 몸을 구성하는 체세포에는 모두 같은 수의 염색체가 들어 있다. 단, 생식세포의 염색체 수는 체세포의 절반이다.

03 체세포 분열 순서는 '전기(C) → 중기(B) → 후기(D) → 말기(A)'이다.

04 아세트올세인 용액과 아세트산 카민 용액은 핵과 염색체를 붉은색으로 염색한다. 세포 분열 관찰 과정은 '고정 → 해리 → 염색 → 분리 → 압착'이다.

[오답 풀이]

① 조직을 압착하기 위해서 → 거름종이를 이용하여 눌러준다.

② 세포를 고정시키기 위해서 → 세포를 에탄올과 아세트산을 3 : 1로 혼합한 용액에 하루 정도 담가 둔다.

③ 조직을 연하게 하기 위해서 → 뿌리를 묽은 염산에 넣고 55 ℃~60 ℃의 온도에서 물중탕한다.

④ 세포나 조직을 분리하기 위해서 → 해부침을 이용하여 뿌리 끝을 잘게 찢는다.

05 생식세포 분열은 생식 기관에서 일어나며, 생식세포 분열 결과 생식세포가 만들어진다. 사람의 생식 기관은 정소와 난소이다.

06 그림에서 염색체 수가 절반으로 줄어든 4개의 딸세포가 만들어지므로 생식세포 분열 과정이다. 생식세포 분열 결과 생성된 생식세포의 염색체 수가 체세포의 절반이기 때문에 부모의 생식세포가 한 개씩 결합하여 생긴 자손의 염색체 수는 부모와 같다.

오답 풀이

④ (다) 단계 이후는 감수 2분열로, 염색 분체가 나뉘어져 염색체 수는 변함없다.

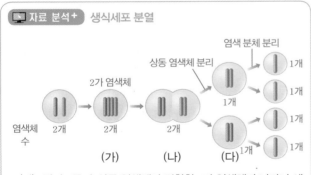

📺 자료 분석⁺ 생식세포 분열

- (가): 전기~중기, 상동 염색체가 결합한 2가 염색체가 나타나 세포 중앙에 배열한다.
- (나): 감수 1분열 후기, 상동 염색체가 분리되어 양쪽 끝으로 이동한다.
- (다): 감수 1분열이 끝난 상태, 염색체 수는 반으로 줄어들었다.

07 수정란의 초기 발생 과정은 체세포 분열로, 분열 결과 염색체 수가 변하지 않는다. 따라서 세포 하나당 염색체 수는 모두 같다. 착상은 속이 빈 공 모양의 세포 덩어리인 포배 상태에서 일어난다.

08 순종은 한 가지 형질을 나타내는 유전자(대립유전자)의 구성이 같은 개체이다. 순종은 여러 세대를 자가 수분하여도 계속 같은 형질의 자손만 나온다.

09 $Yy \times yy \rightarrow \underline{Yy}, \underline{Yy}, \underline{yy}, \underline{yy}$로 우성과 열성이 1 : 1로 나타난다.

10 잡종 2대에서는 황색 완두(YY, Yy)와 녹색 완두(yy)가 3 : 1의 비율로 나온다. 황색이 우성, 녹색이 열성이므로 우성 : 열성의 비는 3 : 1이다. 유전자형의 비는 YY : Yy : yy = 1 : 2 : 1이므로 순종과 잡종의 비는 1 : 1이며 황색 완두 중 $\frac{2}{3}$가 잡종이다.

01 잡종 2대에서 둥글고 황색 : 주름지고 황색 : 둥글고 녹색 : 주름지고 녹색 = 9 : 3 : 3 : 1의 비율로 나타나므로 주름지고 황색(가) : 둥글고 녹색(나) = 3 : 3 = 1 : 1의 비율로 나타난다.

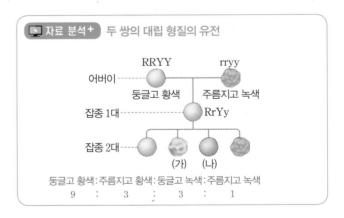

📺 자료 분석⁺ 두 쌍의 대립 형질의 유전

둥글고 황색 : 주름지고 황색 : 둥글고 녹색 : 주름지고 녹색
9 : 3 : 3 : 1

02 잡종 2대에서 황색과 녹색의 완두는 3 : 1의 비율로 나타나므로 황색 완두의 개수는 $200 \times \frac{3}{4} = 150$(개)이다.

03 쌍둥이의 성장 환경과 특정 형질의 발현이 어느 정도

일치하는지 조사하여 유전과 환경이 특정 형질에 미치는 영향을 알아볼 수 있다.

04 혀를 말 수 있는 부모 사이에서 혀를 말 수 없는 딸(5)이 태어났으므로 혀를 말 수 있는 형질이 우성, 혀를 말 수 없는 형질이 열성이다. 따라서 1과 2의 혀 말기 유전자형은 Rr이고, 3과 4의 유전자형은 RR인지 Rr인지 확실히 알 수 없다.

💻 자료 분석⁺ 혀 말기 유전

혀를 말 수 있는 부모 사이에서 혀를 말 수 없는 딸(5)이 태어났으므로 혀를 말 수 있는 형질이 우성, 혀를 말 수 없는 형질이 열성이다.

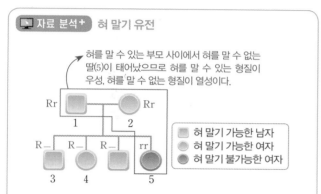

■ 혀 말기 가능한 남자
● 혀 말기 가능한 여자
● 혀 말기 불가능한 여자

<유전자형을 구하는 순서>
• 순종인 열성의 유전자형을 적는다. → 5번 rr
• 5의 혀 말기 불가능 대립유전자(r)는 부모로부터 하나씩 받았으므로 부모 모두 혀 말기 불가능 대립유전자(r)를 갖고 있다. 따라서 1과 2의 혀 말기 유전자형은 잡종(Rr)이다.
• 1과 2에서 나올 수 있는 자녀의 유전자형은 Rr×Rr → RR, 2Rr, rr이므로 3과 4의 혀 말기 유전자형은 RR 또는 Rr이다.

---

05 (가)의 ABO식 혈액형 유전자형은 BB이고 (나)의 유전자형은 OO이다. 따라서 BB×OO → BO, BO로 (가)와 (나) 사이에서는 B형의 자녀만 나온다.

💻 자료 분석⁺ ABO식 혈액형 유전

• (가)의 유전자형을 확인하는 법

혈액형	AB형×AB형	
유전자형	AB	AB
생식세포	A, B	A, B
자녀의 혈액형 유전자형	AA AB	AB BB
자녀의 혈액형 종류	A형, AB형,	B형

→ (가)의 유전자형은 BB이다.

• (가)와 (나) 자녀의 혈액형을 확인하는 법

혈액형	B형×O형	
유전자형	BB	OO
생식세포	B	O
자녀의 혈액형 유전자형	BO	
자녀의 혈액형 종류	B형	

---

06 적록 색맹은 유전자가 X 염색체에 있고 정상에 대해 열성이다. 따라서 X 염색체를 1개만 갖고 있는 남자는 적록 색맹 대립유전자가 1개만 있어도 적록 색맹이 되지만, 여자는 2개의 X 염색체에 모두 적록 색맹 대립유전자가 있어야 적록 색맹이 되기 때문에 여자보다 남자에게 더 많이 나타난다.

07 ㄱ. 속력이 점점 빨라지므로 운동 에너지가 증가한다.
ㄴ. 높이가 점점 낮아지므로 위치 에너지가 감소한다.

오답 풀이

ㄷ, ㄹ. 잔디 썰매를 타고 내려올 때 위치 에너지가 운동 에너지로 전환되므로 속력이 빨라진다.

💻 개념 체크⁺ 역학적 에너지 전환의 예

• 스키를 타고 경사면을 내려올 때 위치 에너지가 운동 에너지로 전환되므로 속력이 점점 빨라진다.
• 롤러코스터가 높은 곳에서 내려올 때에는 위치 에너지가 운동 에너지로 전환되고, 바닥에서 다시 올라갈 때에는 운동 에너지가 위치 에너지로 전환된다.
• 높이뛰기 선수가 바를 넘기 위해 도약하면서 위로 올라갈 때에는 운동 에너지가 위치 에너지로 전환되고, 떨어질 때에는 위치 에너지가 운동 에너지로 전환된다.

---

08 공기 저항이나 마찰을 무시할 때 역학적 에너지는 일정하게 보존된다. 따라서 'A 지점에서의 운동 에너지=B 지점에서의 역학적 에너지=C 지점에서의 역학적 에너지=D 지점에서의 역학적 에너지=E 지점에서의 위치 에너지'이다.

09 전기 에너지는 배터리에 화학 에너지의 형태로 저장하여 언제나 필요할 때 사용할 수 있으며, 각종 기기를 이용하여 다양한 에너지로 전환하여 사용한다.

10 광합성은 식물이 빛을 이용하여 영양분을 만드는 과정으로 빛에너지가 화학 에너지로 전환된다.

서술형·사고력 테스트   52~53쪽

01 (1) (가) 체세포 분열, (나) 생식세포 분열 (2) 해설 참조
02 해설 참조   **03** (1) 난할 (2) 해설 참조
04 해설 참조   **05** 해설 참조
06 해설 참조   **07** 해설 참조
08 (1) 250 J (2) 해설 참조

01 (1) (가)는 염색 분체가 분리되므로 체세포 분열이고, (나)는 상동 염색체가 분리되므로 감수 1분열이다. 생식세포 분열에서는 체세포 분열과 달리 상동 염색체가 결합한 2가 염색체가 형성된다.

(2) **모범 답안** (가)는 A 단계에서 염색 분체가 분리되어 딸세포로 나뉘어 들어가므로 세포 분열 결과 만들어진 딸세포의 염색체 수가 모세포와 같고, (나)는 B 단계에서 상동 염색체가 분리되어 딸세포로 나뉘어 들어가므로 세포 분열 결과 만들어진 딸세포의 염색체 수가 모세포의 절반이다.

채점 기준	배점(%)
모범 답안과 같이 서술한 경우	100
염색 분체나 상동 염색체에 대한 언급 없이 염색체 수에 대해서만 서술한 경우	50

02 (1) **모범 답안** 세포가 생명 활동(세포 분열)을 멈추고 살아 있는 상태로 고정된다.

해설 | 세포 분열 단계마다의 특징을 자세하게 관찰하기 위해서 세포 분열 과정을 멈추게 한다.

채점 기준	배점(%)
모범 답안과 같이 서술한 경우	100
세포 분열이 멈춘다고 서술한 경우	50

03 (1) 수정란의 세포 분열을 난할이라고 한다.

(2) **모범 답안** 딸세포가 커지지 않고 분열이 빠르게 반복된다. 분열이 진행될수록 딸세포의 크기가 작아진다. 딸세포의 염색체 수는 모세포와 같다.

채점 기준	배점(%)
특징을 두 가지 모두 옳게 서술한 경우	100
특징을 한 가지만 옳게 서술한 경우	50

04 **모범 답안** 세대가 짧다. 개체 수가 많다. 대립 형질이 뚜렷하다. 재배하기 쉽다. 자가 수분이 쉽다. 자유로운 형질 교배가 가능하다.

해설 | 멘델은 완두의 씨 모양, 씨 색깔, 꽃잎 색깔, 꼬투리 모양, 꼬투리 색깔, 꽃이 피는 위치, 줄기의 키와 같이 7가지 대립 형질을 실험에 사용했다.

채점 기준	배점(%)
특징을 세 가지 모두 옳게 서술한 경우	100
특징을 두 가지만 옳게 서술한 경우	70
특징을 한 가지만 옳게 서술한 경우	40

05 **모범 답안** (1) $\dfrac{4}{16} \times 100 = 25\,\%$

(2) $1200 \times \dfrac{1}{4} = 300$(개)

해설 | 모양과 색깔 모두 순종인 완두는 RRYY, RRyy, rrYY, rryy 네 종류이다.

채점 기준	배점(%)
계산식과 값이 모두 맞은 경우	100
계산식은 맞고 답이 틀린 경우	70
계산식이 틀리고 답만 맞은 경우	40

06 [모범 답안] Aa, 부모는 모두 쌍꺼풀인데 외까풀인 딸이 태어났으므로 쌍꺼풀이 우성이다. 외까풀 자녀의 유전자 (aa)는 부모로부터 하나씩 물려받은 것이므로 부모 모두 외까풀 유전자(a)가 있다. 따라서 부모의 유전자형은 모두 Aa이다.

채점 기준	배점(%)
유전자형과 그 까닭을 모두 옳게 서술한 경우	100
유전자형을 옳게 쓰고, 까닭을 자녀에게 열성이 나왔기 때문이라고만 서술한 경우	70
유전자형만 옳게 쓴 경우	50

07 [모범 답안] 위치 에너지가 운동 에너지로 전환되므로 위치 에너지는 감소하고 운동 에너지는 증가한다. 이때 역학적 에너지는 일정하게 보존된다.

해설 | 롤러코스터가 아래로 내려갈 때는 위치 에너지가 운동 에너지로 전환된다. 이때 공기 저항이나 마찰을 무시하면 역학적 에너지는 일정하게 보존된다.

채점 기준	배점(%)
주어진 단어를 모두 포함하여 옳게 서술한 경우	100
주어진 단어의 일부만 포함하여 서술한 경우	50

08 (1) 자동차에서 전환된 운동 에너지는 공급된 전체 에너지인 화학 에너지에서 다른 에너지로 전환된 값을 뺀 값과 같다.

1000 J(화학 에너지)−150 J(소리 에너지)−600 J (열에너지)=250 J(운동 에너지)

(2) [모범 답안] 에너지는 다른 형태로 전환되더라도 새로 생기거나 없어지지 않고 총량이 일정하게 보존되기 때문이다.

해설 | 에너지는 전환되더라도 그 총량은 변하지 않는다. 따라서 연료의 화학 에너지가 1000 J이면 전환된 모든 에너지의 합도 1000 J이 되어야 한다.

채점 기준	배점(%)
모범 답안과 같이 서술한 경우	100
에너지가 보존되기 때문이라고만 서술한 경우	50

개념 체크+ 에너지 전환과 보존

미끄럼틀을 타고 내려올 때 처음의 위치 에너지가 운동 에너지로 모두 전환되지 않고 마찰에 의한 소리와 열에너지로도 일부 전환된다. 이때 운동 에너지, 소리 에너지, 열에너지로 전환된 에너지양의 총합은 미끄럼틀을 내려오기 전 위치 에너지의 양과 같다. 이와 같이 미끄럼틀을 탈 때에도 에너지 보존 법칙은 성립한다.

위치 에너지 / 소리 에너지 / 열에너지 / 운동 에너지

창의·융합·코딩 테스트 54~55쪽

01 (1) ㉠ C, D, ㉡ 46, (2) ㉠ A, ㉡ 23, (3) 해설 참조
02 (1) (가) RrYy, (나) rryy (2) (가) RY, Ry, rY, ry, (나) ry (3) RrYy, Rryy, rrYy, rryy (4) 해설 참조
03 해설 참조　　**04** (1) B (2) 해설 참조　　**05** 해설 참조

01 (1), (2) 사람의 염색체 수는 46개이며, 생식세포의 염색체 수는 23개이다. A는 생식세포가 만들어지는 과정이므로 생식세포 분열이 일어난다. B는 수정이 되는 과정이며, C와 D는 수정란의 초기 발생 과정으로 체세포 분열이 일어난다.

(3) [모범 답안] 생식세포 분열로 만들어진 생식세포의 염색체 수가 체세포의 절반이기 때문에 부모의 생식세포가 한 개씩 결합하여 생긴 자손의 염색체 수는 부모와 같다. 그 결과 세대를 거듭해도 자손의 염색체 수가 항상 일정하게 유지될 수 있다.

02 (4) [모범 답안] (가)의 유전자형은 RrYy이므로 (가)에서 만들어지는 생식세포는 RY, Ry, rY, ry이다. (나)의 유전자형은 rryy이므로 (나)에서 만들어지는 생식세포는 ry이다. (가)와 (나)를 교배했을 때 자손에게서 나올 수 있는 유전자형은 RrYy, Rryy, rrYy, rryy이다. 따라서 표현

형의 비율은 둥글고 황색 : 주름지고 황색 : 둥글고 녹색 : 주름지고 녹색 = 1:1:1:1 이다.

해설 | 열성 형질을 갖는 개체의 유전자형은 순종이다. 유전자형이 잡종인 경우 표현형은 우성 형질이 나타난다.

채점 기준	배점 (%)
모범 답안과 같이 서술한 경우	100
자손에게서 나올 수 있는 표현형의 비율은 쓰지 않고 유전자형의 비율만 서술한 경우	80

03 (1) [모범 답안]

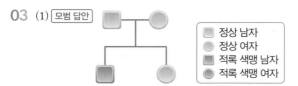

정상 남자
정상 여자
적록 색맹 남자
적록 색맹 여자

(2) [모범 답안] ㉠ 찬호: X′Y, 적록 색맹이므로 적록 색맹 대립유전자가 있다.

㉡ 찬호 아버지: XY, 정상이므로 적록 색맹 대립유전자(X′)가 없다.

㉢ 찬호 어머니: XX′, 찬호의 적록 색맹 대립유전자(X′)는 어머니에게 받은 것이므로 어머니는 적록 색맹 대립유전자(X′)를 하나 가지고 있다.

㉣ 찬호 여동생: 유전자형이 XX인지 XX′인지 알 수 없다. 찬호 여동생은 아버지로부터 정상 대립유전자(X)를 받고, 어머니로부터는 정상 대립유전자(X)나 적록 색맹 대립유전자(X′)를 받을 수 있다.

해설 | 남자의 X 염색체는 어머니로부터, Y 염색체는 아버지로부터 받은 것이다. 적록 색맹 대립유전자 X′는 정상 대립 유전자에 대해 열성이므로, XX′는 정상이다. 남자는 X 염색체가 하나이기 때문에 X′가 하나만 있어도 색맹이 된다.

채점 기준	배점 (%)
각 가족의 유전자형과 까닭을 모두 옳게 서술한 경우	100
각 가족의 유전자형과 까닭이 틀릴 때마다	각 20 % 씩 차감

04 (1) 물방울이 낙하할 때 위치 에너지는 운동 에너지로 전환되므로 B가 A보다 운동 에너지가 더 크다.

(2) [모범 답안] 물방울이 낙하하는 동안 위치 에너지가 운동 에너지로 전환되어 운동 에너지가 증가하기 때문이다.

해설 | 물방울이 나뭇잎에서 떨어질 때 속력이 점점 빨라진다. 이는 물방울의 위치 에너지가 운동 에너지로 전환되기 때문이다.

채점 기준	배점 (%)
역학적 에너지 전환을 이용하여 옳게 서술한 경우	100
낙하할수록 속력이 빨라지기 때문이라고만 서술한 경우	50

💻 **개념 체크+** 자유 낙하 하는 물체의 역학적 에너지 보존

자유 낙하 하는 경우 위치 에너지가 운동 에너지로 전환된다. 이때 위치 에너지가 감소한 만큼 운동 에너지가 증가하며, 매 순간 역학적 에너지는 일정하다.

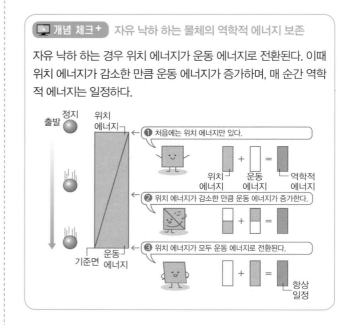

---

05 [모범 답안] 헤어드라이어에 공급된 전기 에너지(1000 J)와 헤어드라이어에서 전환된 에너지의 합(250 J+450 J +200 J +100 J)은 같으므로 에너지는 보존된다.

해설 | 헤어드라이어에 공급된 전기 에너지는 1000 J이고, 헤어드라이어에서 전환된 에너지의 합은 250 J+450 J +100 J+200 J=1000 J이므로 에너지는 보존됨을 알 수 있다.

채점 기준	배점 (%)
그림의 자료를 이용하여 옳게 서술한 경우	100
그림의 자료를 이용하지 않고 에너지는 보존된다고만 서술한 경우	50

7일

학교시험 기본 테스트 1회 56~59쪽

01 ③	02 ④	03 ②	04 ③	05 ③
06 ④	07 (가) 우열의 원리, (나) 분리의 법칙		08 ②	
09 ①	10 ③	11 ⑤	12 해설 참조	
13 ⑤	14 A형, B형		15 ③	16 ①
17 ④	18 ④	19 ①	20 ⑤	

01 X와 Y 염색체도 상동 염색체이기 때문에 남자의 상동 염색체도 23쌍이다.

02 (가) 후기, (나) 말기, (다) 전기, (라) 간기, (마) 중기이다. 중기는 염색체가 세포 중앙에 배열하여 세포 분열을 가장 잘 관찰할 수 있는 시기이다.

개념 체크+ 체세포 분열 과정

- 간기: 유전 물질이 복제되어 2배가 되고 세포가 생장한다.
- 전기: 핵막이 사라지고, 염색체가 나타난다.
- 중기: 염색체가 세포 중앙에 배열된다.
- 후기: 염색 분체가 나누어져 세포 양극으로 이동한다.
- 말기: 세포질이 둘로 나누어진다.

03 분열 시 상동 염색체가 분리되는 것으로 보아 생식세포 분열 과정이다. 분열 전 염색체 수가 4개이므로 생식세포에는 2개의 염색체가 들어 있다.

04 체세포 분열 관찰 실험은 '고정(다) → 해리(가) → 염색(나) → 분리(마) → 압착(라)' 순으로 진행한다. 아세트올세인 용액은 핵과 염색체를 붉게 염색하는 용액으로 아세트산 카민 용액을 사용하기도 한다.

오답 풀이

③ 양파의 뿌리 끝을 에탄올과 아세트산 혼합 용액에 넣는 것은 세포를 살아 있는 상태의 모습으로 고정하기 위해서이다.

05 (가)는 정자, (나)는 난자이다. 정자와 난자의 염색체 수는 체세포의 절반인 23개이다.

오답 풀이

ㄱ. 정자의 A(머리)와 난자의 C(핵)에 유전 물질이 들어 있다.

ㄷ. 정자는 B(꼬리)가 있어 난자를 향해 움직일 수 있다.

06 배란은 난소에서 난자를 수란관으로 배출하는 현상이며, 착상은 수정란이 자궁벽에 파묻히는 현상이다.

07 (가) 순종의 다른 두 대립 형질끼리 교배했을 때 잡종 1대에서 우성 형질만 나오는 현상을 우열의 원리라고 한다.

(나) 생식세포 분열 시 대립유전자가 분리되어 각기 다른 생식세포로 들어가는 것을 분리의 법칙이라고 하며, 그 결과 우성 잡종끼리 교배했을 때 자손에서 열성 형질이 분리되어 나온다.

08 잡종 2대에서 $YY : Yy : yy = 1 : 2 : 1$이므로, 순종의 황색 완두는 $800 \times \frac{1}{4} = 200$개이다.

09 잡종 2대에서 $YY : Yy : yy = 1 : 2 : 1$이므로, 순종(YY, yy) : 잡종(Yy) = 2 : 2 = 1 : 1이다.

10 잡종 1대의 유전자형은 $RrYy$이고, 잡종 2대에서 $RyYy$ 유전자형을 갖는 개체가 나올 확률은 $\frac{4}{16} = \frac{1}{4}$ 이다. 잡종 2대에서 잡종 1대와 유전자형이 같은 개체는 $320 \times \frac{1}{4} = 80$(개)이다.

11 인위적인 교배는 윤리적인 면에서 불가능하다.

12 **모범 답안** A형과 B형, 자녀에서 AB형이 나오려면 부모 중 한쪽은 A 유전자를, 다른 쪽은 B 유전자를 갖고 있어야 한다. 또 O형의 자녀가 나오려면 부모 모두 O 유전자를 갖고 있어야 하므로, 부모의 유전자형은 각각 AO, BO이다. 따라서 부모의 혈액형은 A형과 B형이다.

해설 | AO × BO → AO, BO, AB, OO로 네 가지 혈액형이 모두 나올 수 있다.

채점 기준	배점 (%)
모범 답안과 같이 서술한 경우	100
부모의 혈액형만 적고 까닭은 서술하지않은 경우	50

13 혀 말기 불가능(rr)한 사람(9, 10)의 부모(4, 5, 6)와 혀 말기 불가능한 사람(3)의 자녀 중 혀 말기 가능한 사람 (7, 8)의 유전자형은 모두 Rr이다. 그 이외의 혀 말기 가능한 사람은 유전자형이 RR인지 Rr인지 확실히 알 수 없다.

14 O형의 유전자형은 OO이고 AB형의 유전자형은 AB 이다. OO×AB → AO, BO이므로 A형과 B형의 자녀가 나올 수 있다.

15 (가)의 어머니는 외할아버지가 적록 색맹이므로 적록 색맹 대립유전자를 가지고 있는 보인자(XX')이다. 아버지는 색맹($X'Y$)이므로 이들 사이에서 나올 수 있는 자녀의 유전자형은 $X'X'$, $X'Y$, XX', XY이다. 따라서 (가)가 적록 색맹일 확률은 50 %이다.

16 바이킹이 위로 올라갈 때는 운동 에너지가 위치 에너지로 전환되므로 운동 에너지는 감소하고 위치 에너지는 증가한다.

> **개념 체크+** 진자 운동에서 역학적 에너지 전환
>
> 그림과 같은 진자 운동에서 진자가 A점에서 O점으로 내려갈 때 위치 에너지는 감소하고 운동 에너지는 증가한다. 또 O점에서 B점으로 올라갈 때 운동 에너지는 감소하고 위치 에너지는 증가하여 B점에서 위치 에너지는 최대가 된다.
>
>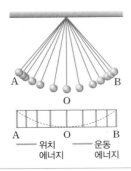

17 A점에서 B점까지 낙하하면서 감소한 위치 에너지= 증가한 운동 에너지=267 J−120 J=147 J이다. 따라서 (9.8×3) N×h=147 J에서 h=5 m이다.

18 음식물이나 석탄, 석유, 천연가스 등의 화석 연료, 전지 등의 물질 속에 저장된 에너지는 화학 에너지이다.

> **개념 체크+** 화학 에너지의 이용
>
> • 사람의 몸속에는 음식을 섭취하여 얻은 영양분이 있다. 우리는 이 영양분과 산소가 결합하여 발생하는 화학 에너지로 활동하며 살아간다.
> • 전지나 배터리 속에 포함된 화학 에너지를 가지고 다니면서 필요할 때 전기 에너지로 전환하여 전기 기구를 작동한다.

19 가열에 의해 주전자 뚜껑이 들썩거렸다면 열에너지가 주전자 뚜껑을 움직이는 운동 에너지로 전환된 것이다.

20 전지가 가진 화학 에너지가 전기 에너지로 전환되고, 전기 에너지가 다시 운동 에너지로 전환되어 장난감 자동차가 작동한다.

학교시험 기본 테스트 2회 60~63쪽

01 ①	02 ②	03 ③	04 ④	05 해설 참조
06 ④	07 ①	08 (가) 타가 수분, (나) 자가 수분		
09 ③	10 ①	11 해설 참조		
12 ④	13 Rr	14 ④	15 ②	16 ④
17 ①, ⑤	18 ③	19 ⑤	20 ②	

01 (가)는 염색 분체, (나)는 염색체, A는 단백질, B는 DNA이다. 염색체는 2가닥의 염색 분체로 이루어져 있다. 염색 분체는 DNA가 복제되어 형성된 것으로 유전 정보가 같다. 상동 염색체는 크기와 모양이 같은 염색체로 유전 정보가 서로 다르다.

02 ㄴ. A와 B는 유전 물질이 복제되어 형성된 염색 분체이므로 유전 정보가 동일하다.

[오답 풀이]

ㄱ. 염색 분체가 분리되어 세포의 양극으로 이동하고 있으므로 핵분열 후기의 세포이다.

ㄷ. 체세포 분열 과정에서는 세포의 염색체 수가 변하지 않는다.

03 (가)는 말기, (나)는 간기, (다)는 전기, (라)는 후기, (마)는 중기이다. 전기에 핵막이 사라지면서 핵 속에 실처럼 풀어져 있던 염색체가 응축되어 막대 모양이나 끈 모양으로 나타난다.

04 체세포 분열에서는 2가 염색체가 형성되지 않으며, 감수 1분열 전기에서 상동 염색체가 결합한 2가 염색체가 형성된다.

05 [모범 답안] 상동 염색체가 결합한 2가 염색체가 세포 중앙에 배열한 것으로 보아 감수 1분열 중기이다.

해설 | 2가 염색체는 생식세포 분열에서만 나타난다.

채점 기준	배점 (%)
모범 답안과 같이 서술한 경우	100
감수 1분열 중기라고만 서술한 경우	50

06 사람의 모습을 갖추기 전까지의 세포 덩어리를 배아라고 하고, 수정 8주 후 사람의 모습을 갖추기 시작한 상태를 태아라고 한다.

07 모체로부터 태아로 산소, 영양소 등이 전달되며, 태아로부터 모체로 이산화 탄소, 노폐물 등이 전달된다.

08 (가)는 수술의 꽃가루가 다른 그루의 꽃에 있는 개체의 암술에 붙는 것이므로 타가 수분이고, (나)는 수술의 꽃가루가 같은 그루의 꽃에 있는 암술에 붙는 것이므로 자가 수분에 해당한다.

09 잡종 1대의 유전자형은 Rr이며, 대립유전자 R와 r는 상동 염색체의 같은 위치에 있다.

10 잡종 1대의 유전자형은 Tt이다. Tt × tt → Tt, tt, Tt, tt이므로 Tt(큰 키):tt(작은 키) = 1:1의 비율로 나온다.

11 [모범 답안] 독립의 법칙에 의해 완두의 모양과 색깔은 서로 영향을 주지 않고 각각 독립적으로 유전되므로 잡종 2대에서 둥근 완두:주름진 완두 = 3:1로 나타난다. 따라서 480개 중 둥근 완두의 개수는 $480 \times \frac{3}{4} = 360$(개)이다.

해설 | 완두의 모양과 색깔은 서로 영향을 주지 않고 각각 독립적으로 유전된다.

채점 기준	배점 (%)
모범 답안과 같이 서술한 경우	100
독립의 법칙에 대한 서술 없이 계산식과 답만 구한 경우	50

12 하나의 수정란이 발생 초기에 둘로 나뉘어 발생하므로 1란성 쌍둥이이다. 1란성 쌍둥이는 유전자 구성이 서로 같으므로 환경의 영향에 의해 형질의 차이가 나타난다. 따라서 유전과 환경의 관계를 알아볼 수 있다.

13 자녀 중에 혀 말기 불가능한 사람(rr)이 있으면 부모는 모두 혀 말기 불가능 대립유전자(r)를 갖고 있어야 한다. 따라서 혀 말기 가능한 A도 혀 말기 불가능 대립유전자(r)가 있어야 하므로 유전자형은 Rr이다.

14 [오답 풀이]

① A형, O형 ② B형, O형 ③ A형, B형, O형, AB형 ⑤ A형, B형, AB형

15 (가)의 어머니는 외할아버지가 색맹이므로 보인자(XX′)이고 아버지는 정상(XY)이므로 이들 사이에서 나올 수 있는 유전자형은 XX′(정상), X′Y(색맹), XX(정상), XY(정상)이다. 따라서 (가)가 색맹이면서 아들일 확률은 25 %이다.

16 물체를 위로 던져 올리는 경우 감소한 운동 에너지만큼 위치 에너지가 증가한다. 따라서 물체가 올라가는 동안 높이에 따른 역학적 에너지는 일정하게 보존된다.

전기 에너지가 빛에너지로 전환된다.

개념 체크+ 위로 던진 물체의 역학적 에너지 보존

위로 던진 물체는 운동 에너지가 위치 에너지로 전환된다. 이때 마찰과 공기 저항을 무시하면 운동 에너지가 감소한 만큼 위치 에너지가 증가하므로 매 순간 역학적 에너지는 일정하다.

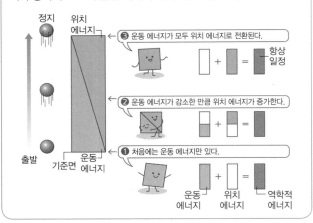

ㄴ. 에어컨은 전기 에너지가 운동 에너지로, 전열기는 전기 에너지가 열에너지로 전환된다.

20 ② 에너지는 한 형태에서 다른 형태로 전환되며, 전환 과정에서 에너지 총량은 보존된다.

오답 풀이

①, ③ 에너지는 전환 과정에서 소멸되거나 새롭게 생성되지 않는다.

④ 유용한 에너지가 감소하는 것이지 에너지가 점점 없어지는 것은 아니다.

⑤ 우리가 사용할 수 있는 유용한 에너지는 유한하므로 에너지를 절약해야 한다.

개념 체크+ 에너지를 절약해야 하는 까닭

우리가 사용하고 있는 모든 형태의 에너지는 최종적으로 열에너지로 바뀐다. 열에너지의 일부를 전기 에너지 또는 역학적 에너지 등으로 전환하여 사용할 수 있지만 에너지 전환 과정에서 발생한 열에너지 모두를 다른 형태의 에너지로 바꾸는 것은 불가능하다. 따라서 전체 에너지의 총량은 항상 보존되지만 우리가 사용할 수 있는 유용한 에너지의 양은 점점 줄어들게 되므로 에너지를 절약해야 한다.

17 ① 공이 위로 올라가면서 운동 에너지는 점점 감소하므로 공을 던지는 순간 운동 에너지가 최대이고, 최고점에서 운동 에너지는 0이다.

⑤ 공이 위로 올라갈수록 속력은 느려지고 높이는 증가하므로 운동 에너지가 위치 에너지로 전환된다.

오답 풀이

② 공이 위로 올라갈수록 속력은 점점 느려진다.

③ 공이 위로 올라갈수록 높이가 증가하므로 위치 에너지가 증가한다.

④ 공이 위로 올라갈수록 속력이 점점 느려지므로 운동 에너지는 감소한다.

18 소리는 물체의 진동으로 발생하며, 열에너지는 온도가 높은 물체에서 낮은 물체로 이동한다.

19 ㄷ. 전등은 전기 에너지가 빛에너지로, 태양 전지는 빛에너지가 전기 에너지로 전환된다.

ㄹ. 마이크는 소리 에너지가 전기 에너지로, 스피커는 전기 에너지가 소리 에너지로 전환된다.

오답 풀이

ㄱ. 선풍기는 전기 에너지가 운동 에너지로, 형광등은

7일 끝 기말

1일 전기 에너지의 발생과 전환

01 전자기 유도   02 ㄱ, ㄴ

03 ㄴ, ㄷ, ㄹ   04 ㉠ 자석, ㉡ 전자기 유도

05 역학적

06 (1) 역학적 (2) 화학 (3) 운동 (4) 운동

07 (1) 빛에너지 (2) 소리 에너지 (3) 열에너지
     (4) 역학적(운동) 에너지

08 ㉠ 소리 에너지, ㉡ 빛에너지, ㉢ 역학적(운동) 에너지

09 ㄴ, ㄷ   10 ㄱ

11 시간(h)   12 (1) 1 W (2) 1 Wh

01 코일 주위에서 자석을 움직이면 코일을 통과하는 자기장이 변하여 코일에 전류가 흐르게 된다. 이러한 현상을 전자기 유도라고 한다.

02 ㄱ. 자석을 코일에서 멀리 하면 코일을 통과하는 자기장이 변하여 코일에 전류가 흐르므로 발광 다이오드에 불이 켜진다.
ㄴ. 코일을 자석에 가까이 하면 코일을 통과하는 자기장이 변하여 코일에 전류가 흐르므로 발광 다이오드에 불이 켜진다.

> 오답 풀이
ㄷ. 자석을 코일 속에 넣고 가만히 있으면 자기장의 변화가 없어 유도 전류가 흐르지 않는다. 따라서 발광 다이오드는 켜지지 않는다.

03 강한 자석을 사용하거나, 자석을 빠르게 움직이거나, 코일의 감은 수를 많게 하면 코일에 흐르는 유도 전류의 세기가 커진다.

04 발전기는 자석과 코일로 이루어 있으며 코일이 자석 주위에서 운동하면 코일에 전류가 흐른다.

05 발전기에서는 역학적 에너지가 전기 에너지로 전환된다.

06 수력 발전은 물의 위치 에너지, 화력 발전은 석탄과 석유의 화학 에너지, 풍력 발전은 바람의 운동 에너지, 자전거의 자가발전기는 바퀴의 운동 에너지를 이용하여 전기 에너지를 생산한다.

> 🖥 **개념 체크+**   자전거의 자가발전기
>
> 자전거 바퀴가 움직이면 바퀴와 접촉되어 있는 회전축이 회전한다. 이때 회전축과 연결된 자석이 회전하여 코일에 전류가 유도되고 전조등에 불이 켜진다.
>
>

07 전기 에너지는 전등에서는 빛에너지, 스피커에서는 소리 에너지, 전기주전자에서는 열에너지, 에어컨에서는 역학적(운동) 에너지로 전환된다.

08 스마트폰에서 전화가 온 것을 진동으로 아는 것은 전기 에너지가 역학적(운동) 에너지로 전환되기 때문이다.

09 ㄴ, ㄷ. 전기 에너지는 휴대하기 편리하며 비교적 먼 곳까지 쉽게 전달할 수 있다.

> 오답 풀이
ㄱ. 전기 에너지는 각종 전기 기구를 통해 다른 종류의 에너지로 쉽게 전환하여 이용할 수 있다.

10 ㄱ. 소비 전력의 단위로는 W(와트), kW(킬로와트) 등을 사용한다.

> 오답 풀이
ㄴ. 모든 가전제품에는 소비 전력이 표시되어 있으며, 제품의 종류마다 소비 전력이 다르다.

ㄷ. 소비 전력은 전기 기구가 1 초 동안 소비하는 전기 에너지의 양이다.

11 전력량은 전기 기구의 소비 전력과 사용한 시간을 곱하여 구한다.

12 (1) 1 W는 전기 기구가 1 초 동안 1 J의 전기 에너지를 소비할 때의 전력이다.
(2) 1 Wh는 1 W의 전력을 1 시간 동안 사용했을 때의 전력량이다.

내신 기출 베스트   14~15쪽

1 ㄱ, ㄴ   **2** ⑤   **3** ㄱ, ㄴ, ㄷ   **4** ⑤   **5** ⑤
6 (가) 선풍기, (나) 전기다리미, (다) 스피커
7 (라) ― (마) ― (다) ― (나) ― (가)   **8** ⑤

1 ㄱ. 코일 근처에서 자석을 움직이거나 자석 근처에서 코일을 움직이면 자기장이 변하게 되어 코일에 전류가 흐르는 전자기 유도 현상이 일어난다.

ㄴ. 전자기 유도 현상에 의해 코일에 흐르는 전류를 유도 전류라고 한다.

오답 풀이

ㄷ. 코일 속에 자석을 넣어두면 자기장의 변화가 없어 전류가 흐르지 않는다.

ㄹ. 자석을 코일 속에서 움직이면 코일을 통과하는 자기장이 변하여 유도 전류가 흐르므로 검류계 바늘이 움직인다.

2 코일 근처에서 자석을 움직이거나 자석 근처에서 코일을 움직이면 코일을 통과하는 자기장이 변하게 되어 코일에 전류가 흐른다.

3 ㄱ. 자석이 코일 속에서 움직이면 전자기 유도 현상에 의해 코일에 전류가 흐르므로 발광 다이오드에 불이 켜진다.

ㄴ. 발전기는 전자기 유도 현상을 이용하여 전류, 즉 전기 에너지를 생산하는 장치이다.

ㄷ. 간이 발전기를 흔드는 역학적 에너지가 전자기 유도 현상에 의해 전기 에너지로 전환된다.

4 손발전기를 돌리는 역학적 에너지가 손발전기에서 전기 에너지로 전환되고, 이 전기 에너지에 의해 전구에 불이 켜진다.

5 배터리를 충전할 때는 전기 에너지가 화학 에너지로 전환되어 배터리에 저장된다.

6 전기 에너지를 역학적 에너지로 전환하는 기구에는 선풍기, 에어컨, 세탁기 등이 있고, 열에너지로 전환하는 기구에는 전기밥솥, 전기다리미, 전기주전자 등이 있다. 전기 에너지를 소리 에너지로 전환하는 기구에는 오디오, 라디오, 스피커 등이 있다.

🖥 **개념 체크+**   가전제품에서 전기 에너지의 전환

- 열에너지로 전환: 전기다리미, 전기난로, 전기밥솥, 전기주전자, 헤어드라이어, 전열기 등
- 화학 에너지로 전환: 배터리 충전
- 빛에너지로 전환: 형광등, 스탠드 등
- 소리 에너지로 전환: 스피커, 오디오, 라디오 등
- 역학적(운동) 에너지로 전환: 선풍기, 세탁기, 에어컨 등

---

7 정격 전압에 연결했을 때 소비 전력이 클수록 사용하는 전기 에너지의 양도 많다. 따라서 가장 많은 전기 에너지를 사용하는 것은 전자레인지이다.

8 ㄱ. 전기 기구가 1 초 동안 소비하는 전기 에너지의 양을 소비 전력이라고 하며, 단위는 W(와트)를 사용한다.

ㄴ, ㄷ. 전기 기구가 일정 시간 동안 소비하는 전기 에너지의 양을 전력량이라고 하며, 소비 전력과 시간의 곱으로 구한다.

2일 별까지의 거리

기초 확인 문제 19, 21쪽

01 (1) 시차 (2) 연주 시차 **02** (1) ✕ (2) ○ (3) ○ (4) ✕

03 ㄱ, ㄹ **04** 6개월

05 θ_1: 시차, θ_2: 연주 시차 **06** ㄱ, ㄷ

07 ㉠ 1 광년(LY), ㉡ 1 파섹(pc), ㉢ 1 천문단위(AU)

08 ㄱ, ㄷ **09** ③

10 C, B, A **11** 시리우스

01 시차는 관측자의 위치에 따라 물체의 겉보기 방향이 달라지는 정도로, 그 크기를 각도로 나타낸다. 지구는 태양 주위를 공전하고 있는데, 연주 시차는 이를 이용하여 별을 6개월 간격으로 관측한 시차의 절반에 해당하는 값이다.

📺 개념 체크+ 별의 겉보기 방향과 연주 시차

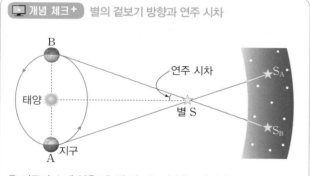

① 지구가 A에 있을 때, 별 S는 S_A에 있는 것처럼 보인다.
② 6개월 뒤 지구가 B에 있을 때, 별 S는 S_B에 있는 것처럼 보인다.
③ 별 S의 시차는 ∠ASB이고, 연주 시차는 $\dfrac{∠ASB}{2}$이다.

02 시차와 거리는 반비례 관계로, 거리가 가까워지면 시차는 커지고, 거리가 멀어지면 시차는 작아진다. 별의 연주 시차는 지구에서 6개월 간격으로 별을 관측한 시차의 절반에 해당하는 값이다.

03 멀리 떨어진 별일수록 연주 시차는 작게 관측되며, 시차는 관측자의 위치가 달라지기 때문에 나타난다.

📺 개념 체크+ 별까지의 거리와 연주 시차

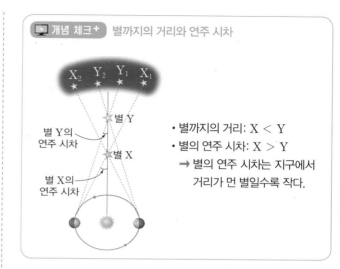

- 별까지의 거리: X < Y
- 별의 연주 시차: X > Y
  → 별의 연주 시차는 지구에서 거리가 먼 별일수록 작다.

04 별의 연주 시차는 지구가 태양 주위를 공전하기 때문에 나타나는 것으로, 지구가 E_1에 있을 때 관측한 별 S는 S_1에 있는 것처럼 보이고, 6개월 뒤 지구가 E_2에 있을 때는 S_2에 있는 것처럼 보인다.

05 θ_1은 6개월 간격으로 관측한 별 S의 시차를, θ_2는 시차의 절반에 해당하는 별 S의 연주 시차를 나타낸다.

06 시차와 연주 시차는 거리에 반비례한다.

07 천문학에서 주로 사용하는 거리 단위에는 광년(LY), 파섹(pc), 천문단위(AU)가 있다.

📺 개념 체크+ 별까지의 거리 단위

1 AU(천문단위)	태양과 지구 사이의 평균 거리
1 LY(광년)	빛이 1년 동안 가는 거리
1 pc(파섹)	연주 시차가 1″인 별까지의 거리

→ 1 pc ≒ 3.26 LY ≒ 206265 AU ≒ 3×10^{13} km

08 대부분의 별은 지구에서 매우 멀리 떨어져 있기 때문에 연주 시차를 측정하기가 매우 어렵다. 따라서 연주 시차는 비교적 가까운 거리에 있는 별까지의 거리를 구할 때 활용할 수 있다. 한편 연주 시차는 6개월 간격의 시차를 측정한 후 그 값의 절반으로 구할 수 있다.

09 연주 시차의 단위가 초($''$), 별까지의 거리의 단위가 파섹(pc)일 때, 별까지의 거리(pc) $= \dfrac{1}{\text{연주 시차}('')}$이다.

10 1 AU≒1.5×10^8 km이므로 별 A까지의 거리는 4 AU≒6×10^8 km이고, 3.26 광년≒1 pc≒3×10^{13} km 이므로 별 B까지의 거리는 6.52 광년≒2 pc≒6×10^{13} km이다. 그러므로 B가 A보다 멀다. 그런데 별 C까지의 거리가 3.26 pc>2 pc이므로 C가 B보다 멀다. 따라서 거리가 먼 별부터 차례대로 C, B, A이다.

11 연주 시차는 별까지의 거리에 반비례한다.

---

1 ㄱ, ㄹ **2** ㄴ, ㄹ **3** 별 B **4** 0.1$''$ **5** ㄴ, ㄷ **6** ㄷ	
7 2 pc **8** 아크투루스, 직녀성, 견우성, 시리우스	

1 관측자로부터 멀어지면 시차는 작아진다. 따라서 물체의 거리와 시차는 서로 반비례 관계이다.

2 연주 시차는 시차의 절반에 해당하므로 시차가 크면 연주 시차도 크다. 또한 시차는 지구가 태양 주위를 공전하기 때문에 관측되는 것으로, 별의 움직임으로 나타나는 현상이 아니다.

3 별까지의 거리가 가까울수록 시차가 더 크게 나타난다.

4 별의 연주 시차는 별을 6개월 간격으로 관측한 시차의 절반에 해당한다.

5 연주 시차는 별의 온도와는 관계가 없으며, 별까지의 거리에 반비례한다. 대부분의 별은 지구에서 매우 멀리 떨어져 있어서 연주 시차를 측정하기 어렵다. 연주 시차로부터는 비교적 가까운 별까지의 거리를 구할 수 있다.

6 ㄱ은 연주 시차가 0.5$''$이므로 2 pc, ㄷ은 연주 시차가 0.2$''$이므로 5 pc, ㄹ은 3.26 광년이므로 1 pc이다. 따

라서 가장 먼 거리에 있는 별은 ㄷ이다.

7 별까지의 거리(pc)$= \dfrac{1}{\text{시차}('')}$이므로 별까지의 거리는 $\dfrac{1}{0.5''}=2$ pc이다.

8 지구로부터 거리가 먼 별일수록 연주 시차가 작다.

기초 확인 문제   27, 29쪽

01 (1) 어두워지며, $\dfrac{1}{4}$ (2) 거리	**02** (1) × (2) ○ (3) × (4) ○
03 ㄷ, ㄹ	**04** 100배
05 9배 밝아진다.	**06** ㄱ, ㄷ
07 (1) ○ (2) × (3) ○ (4) ×	**08** ㉠ 크다, ㉡ 작다
09 B	**10** ㄴ
11 D, B, C, A	

01 별의 밝기는 별까지의 거리의 제곱에 반비례한다. 따라서 실제 밝기가 같은 별이라고 해도 관측자로부터의 거리가 달라지면 밝기도 다르게 보인다.

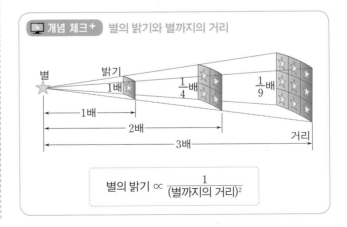

📺 **개념 체크+** 별의 밝기와 별까지의 거리

별의 밝기 $\propto \dfrac{1}{(\text{별까지의 거리})^2}$

02 겉보기 등급은 별까지의 실제 거리를 고려하지 않고 관측자에게 보이는 상대적 밝기를 등급으로 나타낸 것이다. 겉보기 등급의 숫자가 작을수록 밝게 보이는 별이다.

03 별이 어둡게 보이는 경우는 별의 표면에서 자체적으로 방출하는 에너지가 작을 경우 또는 별이 멀리 떨어진 경우이므로 모든 어두운 별이 멀리 떨어져 있다고 볼 수는 없다. 또한 별의 밝기는 별까지의 거리의 제곱에 반비례한다.

04 별의 등급을 나타낼 때 1 등급 차이는 약 2.5배의 밝기 차이를 보인다. 따라서 5 등급 차이는 100배의 밝기 차이가 난다.

> 📺 **개념 체크+** 별의 밝기와 등급
>
> 1 등급 차이가 나는 두 별은 약 2.5배의 밝기 차이가 나므로 5 등급 차이가 나는 두 별은 100배의 밝기 차이가 난다.
>
>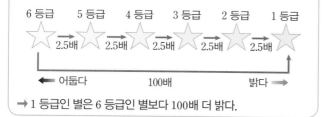
>
> → 1 등급인 별은 6 등급인 별보다 100배 더 밝다.

05 별의 밝기는 별까지의 거리의 제곱에 반비례하므로 지구로부터의 거리가 $\frac{1}{3}$배로 가까워지면 밝기는 9배 밝아진다.

06 별의 겉보기 등급은 관측자에게 보이는 겉보기 밝기를 상대적으로 비교하여 나타낸 것으로, 별의 색깔이나 거리는 고려하지 않는다.

07 절대 등급은 별이 10 pc 거리에 있다고 가정할 때의 등급으로, 겉보기 등급이 작다고 해서 절대 등급도 작지는 않다. 태양은 10 pc보다 가까이 있는 별로, 절대 등급이 겉보기 등급보다 크다.

> 📺 **개념 체크+** 겉보기 등급과 절대 등급
>
>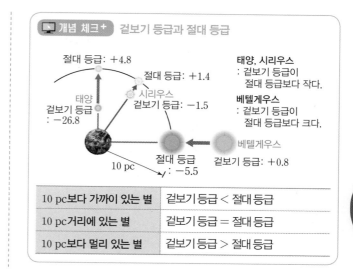
>
> | 10 pc보다 가까이 있는 별 | 겉보기 등급 < 절대 등급 |
> |---|---|
> | 10 pc 거리에 있는 별 | 겉보기 등급 = 절대 등급 |
> | 10 pc보다 멀리 있는 별 | 겉보기 등급 > 절대 등급 |

08 거리가 10 pc보다 가까운 별은 실제 밝기보다 밝아 보이고, 거리가 10 pc보다 먼 별은 실제 밝기보다 어두워 보인다.

09 지구로부터의 거리가 10 pc인 별의 절대 등급은 겉보기 등급과 같다.

10 별은 표면 온도가 낮을수록 적색을 띠며, 표면 온도가 높아짐에 따라 점차 황색, 백색, 청색을 띠게 된다. 이러한 색은 별의 표면 온도를 나타내며, 별의 색으로 겉보기 등급이나 절대 등급이 결정되지는 않는다.

> 📺 **자료 분석+** 별의 색과 표면 온도
>
> | 색 | 청색 | 청백색 | 백색 | 황백색 | 황색 | 주황색 | 적색 |
> |---|---|---|---|---|---|---|---|
> | 표면 온도 | 30000 ℃ 이상 | 10000~ 30000 ℃ | 7500~ 10000 ℃ | 6000 ~ 7500 ℃ | 5000 ~ 6000 ℃ | 3500 ~ 5000 ℃ | 3500 ℃ 이하 |
> | 대표적인 별 | 민타카 | 스피카 | 직녀성 | 프로키온 | 태양 | 알데바란 | 베텔게우스 |
>
> (표면 온도: 높다 ← → 낮다)

11 별의 색은 표면 온도가 높을수록 청색을 띠며, 표면 온도가 낮아짐에 따라 점차 백색, 황색, 적색을 띠게 된다.

1 $\frac{1}{25}$ 배로 줄어든다.   2 A, E   3 실제 밝기, 절대 등급

4 ㄷ, ㄹ   5 베텔게우스, 태양   6 3 등급, 1 등급

7 민타카, 시리우스, 태양, 알데바란

8 베텔게우스보다 리겔의 표면 온도가 높다.

1   별의 밝기는 별까지의 거리의 제곱에 반비례한다.

2   10 pc보다 멀리 떨어진 별은 절대 등급이 겉보기 등급
보다 작다.

3   절대 등급은 별이 10 pc 거리에 있다고 가정할 때의 등
급이다.

4   별의 겉보기 등급은 등급 수치가 클수록 어둡게 보이는
별이다. 히파르코스는 별의 밝기에 따라 6 등급 체계로
구분하였지만, 현재는 관측 도구의 발달로 겉보기 등급
이 6 등급보다 큰 별들도 분류되어 있다.

5   (겉보기 등급－절대 등급)의 값이 클수록 별까지의 거
리가 더 멀다.

6   별 A는 10 pc 거리에 있으므로 절대 등급은 겉보기 등
급과 같다. 절대 등급의 기준이 되는 10 pc으로 별 B까
지의 거리가 $\frac{1}{10}$ 배로 가까워지면 밝기는 100배 밝아지
므로 겉보기 등급보다 5 등급 작아진다.

7   별은 표면 온도가 높을수록 푸른색을 띠고, 표면 온도
가 낮아짐에 따라 백색과 노란색을 거쳐 붉은색을 띤다.

8   베텔게우스는 적색 별, 리겔은 청색 별이다.

4일   은하와 우주

01 (1) 은하수 (2) 은하, 우리은하 (3) 중심부, 나선팔

02 (1) ○ (2) × (3) × (4) ○

03 ㄱ, ㄷ, ㄹ   04 A

05 중심부가 부풀어 있는 납작한 원반 모양

06 (1) 성단 (2) 산개, 구상   07 (1) ○ (2) × (3) × (4) ○

08 (가) 산개 성단, (나) 구상 성단

09 ㄱ, ㄴ   10 (다)

01   은하수는 지구에서 관측되는 우리은하 일부의 모습으
로, 맑은 날 어두운 곳에서 하늘을 가로지르는 희미한
빛의 띠 모양을 하고 있다. 우주 공간에는 수많은 별로
이루어진 은하가 분포하며, 그중에서 태양계는 우리은
하에 속해 있다. 또한, 우리은하는 막대 모양의 중심부
와 그 주변의 나선팔로 구성되어 있다.

🖥 개념 체크＋   우리은하

• 우리은하의 모습

 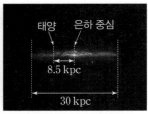

－ 위에서 보았을 때 막대 모양의 중심부가 있고, 주변에는 별들
이 나선 모양으로 분포

－ 옆에서 보았을 때 중심부가 부풀어 있는 납작한 원반 모양

02   우리은하는 옆에서 보면 중심부가 부풀어 있는 납작한
원반 모양이며, 태양계는 은하 중심에서 약 8.5 kpc 떨
어진 나선팔에 위치한다.

03   우리은하의 지름은 약 30 kpc으로, 태양계는 우리은하

중심으로부터 약 8.5 kpc 떨어진 나선팔에 위치한다.

04 태양계는 우리은하의 중심으로부터 약 8.5 kpc 떨어진 나선팔에 위치한다.

05 우리은하는 옆에서 보았을 때 중심부가 부풀어 있는 납작한 원반 모양이다.

06 성단은 산개 성단과 구상 성단으로 구분할 수 있으며 산개 성단은 주로 파란색 별들로, 구상 성단은 주로 붉은색 별들로 이루어져 있다.

개념 체크+ 성단

• 산개 성단
 – 수십~수만 개의 별들이 일정한 모양 없이 모여 있는 성단
 – 주로 푸른색의 젊고 온도가 높은 별들로 구성
 – 대부분 우리은하의 나선팔에 분포

▲ 플레이아데스 성단

• 구상 성단
 – 수만~수십만 개의 별들이 공 모양으로 빽빽하게 모여 있는 성단
 – 주로 붉은색의 늙고 온도가 낮은 별들로 구성
 – 대부분 우리은하의 중심부와 원반을 둘러싼 구형의 영역에 분포

▲ M4

07 성운은 주로 우리은하의 나선팔에 위치하며, 암흑 성운은 뒤에서 오는 별빛을 가려 검게 보이는 성운이다.

개념 체크+ 성운

• 방출 성운
 – 주변에 있는 별로부터 에너지를 받아 온도가 높아져서 스스로 붉은색의 빛을 내는 성운

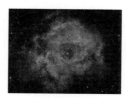

▲ 장미성운

• 반사 성운
 – 주변의 별빛을 반사하여 파란색으로 보이는 성운

▲ M78

• 암흑 성운
 – 뒤쪽에서 오는 별빛을 가려 검게 보이는 성운

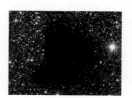

▲ 석탄자루성운

08 산개 성단은 별들이 일정한 모양 없이 모여 있는 성단이고, 구상 성단은 별들이 공 모양으로 빽빽하게 모여 있는 성단이다.

09 구상 성단은 주로 붉은색 별들로 구성되어 있고, 산개 성단은 주로 파란색 별들로 구성되어 있다. 또한, 구상 성단을 이루는 별들은 공 모양으로 빽빽하게 모여 있다.

10 (가)는 방출 성운, (나)는 반사 성운, (다)는 암흑 성운으로, 은하수의 가운데 부분이 검게 보이는 까닭은 암흑 성운이 뒤에서 오는 별빛을 차단하기 때문이다.

내신 기출 베스트 38~39쪽

1 ㄱ, ㄴ	2 ㄱ, ㄹ
3 A	4 ㄴ, ㄷ
5 (가) 구상 성단, (나) 산개 성단	
6 ㄱ, ㄴ, ㄹ	7 (가)
8 ㄴ, ㄷ	

1 여름철에는 태양이 우리은하 중심의 반대 방향에 있으므로 지구에서 우리은하의 중심 방향을 관측할 수 있다. 그러므로 겨울철보다 은하수의 폭이 넓고 선명하게 보인다. 은하수는 희미하게 보이므로 주변에 빛이 없는 곳에서 맑은 날 밤에 관측이 가능하다.

🖥 **개념 체크⁺** 은하수의 관측

• 지구에서 바라본 은하수의 모습
  – 은하의 중심 방향은 별들이 많이 보이고, 은하 중심의 반대 방향은 별들이 적게 보인다.

• 겨울철과 여름철의 은하수
  – 우리은하의 중심 방향(궁수자리 방향)을 볼 수 있는 여름철에 은하수가 더 넓고 밝게 보인다.

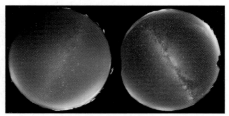

▲ 겨울철 은하수   ▲ 여름철 은하수

2 태양계는 우리은하 중심으로부터 약 8.5 kpc 떨어진 나선팔에 위치하며, 은하수는 지구에서 바라본 우리은하 일부분의 모습이다. 한편, 나선팔은 은하 중심에서 뻗어나와 있으며, 우리은하를 옆에서 보면 중심부가 부풀어 있는 납작한 원반 모양을 하고 있다.

3 태양계는 우리은하 중심으로부터 약 8.5 kpc 떨어진 나선팔에 위치한다.

4 우리은하의 지름은 약 30 kpc(=30000 pc)으로, 약 10만 광년에 해당한다.

5 구상 성단은 별들이 공 모양으로 모여 있는 반면, 산개 성단은 별들이 불규칙하게 모여 있다.

6 산개 성단은 수십~수만 개의 주로 젊고 표면 온도가 높은 파란색 별들로 구성되는 반면, 구상 성단은 수만~수십만 개의 대부분 늙고 표면 온도가 낮은 붉은색 별들로 구성된다.

7 방출 성운은 주변의 별로부터 에너지를 받아 온도가 높아져서 스스로 빛을 낸다.

8 성단은 많은 수의 별들이 집단을 이루는 천체이고, 성운은 성간 기체와 먼지들이 모여 밀집된 것이다.

5일 과학 기술과 인류 문명

01 인류 문명의 발달은 과학 기술의 발전과 밀접하게 연결되어 있으며, 금속의 발견과 증기 기관의 발명, 전기의 사용은 인류 문명이 발전하는 데 크게 기여했다.

02 발전기가 전기 에너지를 생산하면서 그동안 증기 기관이 담당했던 기계의 작동에 전기가 사용되었으며, 일상생활에 많은 영향을 미치게 되었다. 철과 같은 금속을 발견한 과학 기술은 석기 시대에서 청동기, 철기 시대로 넘어가게 된 결정적 계기가 되었다.

03 현미경은 눈으로 볼 수 없는 작은 물체를 확대하여 질병의 원인을 발견할 수 있게 하였다. 우주에 대한 생각을 전환할 수 있게 한 사례는 망원경의 발명과 관계가 있다.

📺 개념 체크➕ 과학 기술이 인류 문명의 발달에 미친 영향

① 과학적 발견
• 암모니아의 합성: 질소 비료를 대량으로 생산함으로써 식량 생산량을 획기적으로 늘렸다.
• 페니실린의 발견: 항생제인 페니실린이 발견되어 질병의 치료약으로 사용되었다.

② 기술의 발달
• 컴퓨터의 발명: 복잡한 작업을 편리하게 할 수 있고, 전 세계를 연결하는 통신망을 구성하게 되었다.
• 유전자 분석 기술: DNA를 이용하여 개체를 구분할 수 있게 되어 진화 과정을 연구하는 데 사용되었다.

③ 기기의 발명
• 망원경의 발명: 우주에 대한 인류의 생각이 혁명적으로 전환되는 계기가 되었다.
• 현미경의 발명: 눈으로 볼 수 없는 작은 물체를 확대하여 질병의 원인을 발견할 수 있게 되었다.

04 사물 인터넷을 활용하면 집에 도착해서 현관문을 여는 순간 거실의 불이 켜지고, 에어컨이 가동되는 등의 기술 구현이 가능하다.

📺 개념 체크➕ 첨단 과학 기술의 활용 사례

• 유기 발광 다이오드(OLED)
형광성 물질에 전류를 흘려주면 스스로 빛을 내는 현상을 이용한 것으로, 얇고 투명하게 만들 수 있고, 구부리거나 휠 수도 있다.
• 인공 지능(AI)
AI는 기계가 인간과 같은 지능을 가지는 것으로, 스마트폰의 인공 지능 비서, 인공 지능 스피커, 자율 주행 인공 지능 등에 사용된다.
• 사물 인터넷(IoT)
모든 사물을 인터넷으로 연결하는 기술로, 사람과 사물뿐만 아니라 사물과 사물 사이에도 정보를 주고받을 수 있다.

05 과학 기술의 발달로 인류의 삶은 풍요롭고 편리해졌지만 환경 오염, 에너지 부족, 교통난, 사생활 침해 등의 문제를 야기했다.

📺 개념 체크➕ 과학 기술의 양면성

• 긍정적인 측면
생활의 편리, 인간 수명 증가, 식량 부족 해결, 새로운 에너지 자원으로 에너지 고갈 문제 해결 등
• 부정적인 측면
환경 오염, 에너지 부족, 교통난, 지구 온난화와 기후 변화, 개인의 사생활 침해, 유전자 조작에 따른 생명 윤리 문제 등

06 창의적 설계 방법의 3단계는 '정의하기', '최적화하기', '해결책 찾기'로, 과학 원리나 기술을 활용하여 기존의 제품을 개선하거나 새로운 제품 또는 시스템을 개발하는 창의적인 과정이다.

07 창의적 설계 방법의 세 단계는 일반적으로 최종 제품의 완성도를 높이기 위해 반복하여 수행된다.

08 자율 주행 자동차는 우리 생활 속 첨단 과학 기술의 사례 중 하나로, 이와 같이 상상력과 노력이 결합한 첨단 제품은 우리 생활을 보다 편리하게 만든다.

09 과학 기술은 양면성을 가지고 있으므로 그것이 가져다주는 유용성뿐만 아니라 사회적인 영향과 윤리적인 측면도 고려해야 한다.

내신 기출 베스트 46~47쪽

1 ㄷ	2 금속	3 유기 발광 다이오드(OLED)
4 ㄹ	5 ㄱ, ㄴ	6 ㄱ, ㄴ, ㄷ 7 ㄴ, ㄷ 8 ㄱ, ㄷ

1 증기 기관의 발명은 농업 사회에서 산업 사회로 변화하는 계기가 되었다.

2 인류가 금속을 발견하고 사용한 것은 대표적인 기술 혁신의 사례이다.

개념 체크＋ 과학 기술과 인류 문명

금속의 발견과 사용	• 인류는 불을 이용하여 생활에 필요한 도구를 만들어 사용하기 시작함. • 철제 농기구의 사용은 생산력을 비약적으로 증대시킴.

↓

증기 기관의 발명	• 석탄으로 움직이는 기계를 사용하여 제품의 생산량을 획기적으로 늘림. • 제품의 생산력 증대, 증기 기관차, 공장 자동화로 산업 혁명을 일으킴.

↓

전기의 사용	• 발전기로 전기 에너지를 생산하면서 밤에도 전기를 이용하여 불을 밝힘. • 가정이나 공장에서 기계를 작동시킬 때도 전기가 증기 기관을 대신함.

3 유기 발광 다이오드(OLED)는 형광성 물질에 전류를 흘려주면 스스로 빛을 내는 현상을 이용한 첨단 과학 기술이다.

4 현미경의 발명으로 작은 물체를 확대해 볼 수 있게 됨에 따라 질병의 원인을 발견할 수 있게 되었다.

5 스마트폰 배터리는 전기 화학 분야의 연구 산물로써, 생명 과학 기술 및 예술과는 거리가 있다.

6 나노 기술은 1~수십 nm 크기의 수준에서 물질이나 구조를 다루는 기술이다.

7 과학 기술의 발달은 우리가 의도하거나 예상하지 못했던 문제들을 발생시킬 수 있다.

8 과학은 우리 생활에 긍정적인 영향뿐만 아니라 부정적인 영향도 미칠 수 있다.

| 01 ⑤ | 02 ③ | 03 ④ | 04 ④ | 05 ① |
| 06 ① | 07 ④ | 08 ④ | 09 ① | 10 ② |

01 ㄱ, ㄴ, ㄷ. 자석을 코일 근처에서 움직이면 전자기 유도 현상에 의해 코일에 유도 전류가 흐른다. 즉 전류가 발생하는 원리를 설명할 수 있다.

02 ㄱ, ㄷ. 자가발전 손전등의 손잡이를 돌리면 코일 속에서 자석이 움직이게 된다. 이때 전자기 유도 현상에 의해 코일에 전류가 흐르므로 손전등에 불이 켜지는 것이다.

    오답 풀이

    ㄴ. 손잡이를 돌리는 역학적 에너지가 전기 에너지로 전환된다.

03 냉장고는 전기 에너지를 이용하여 전동기를 돌려 냉매를 순환시킨다. 즉 냉장고에서는 전기 에너지가 전동기를 돌리는 운동 에너지로 전환된다.

04 혜원: 전구가 소비한 전기 에너지는 빛에너지와 열에너지로 전환된다.
    도현: 1 초 동안 소비하는 전기 에너지를 소비 전력이라고 한다.

    오답 풀이

    은송: 전구에서는 전기 에너지가 빛에너지와 열에너지로 전환되므로 전구에서 1 초 동안 전환된 빛에너지와 열에너지의 합이 전구의 소비 전력이 된다. 즉 전구에서 1 초 동안 발생한 빛에너지가 5 J 이었다면 전구의 소비 전력은 5 W보다 크다.

05   오답 풀이

    ㄷ. 연주 시차가 0.5″이면 별까지의 거리는 $\dfrac{1}{0.5″}$이므로 2 pc이다.

ㄹ. 지구가 A에서 B로 가는데 걸리는 시간은 6개월이다.

06 A는 5 pc, C는 1 pc 거리에 있으므로 거리는 별 A가 가장 멀고, 별 C가 가장 가깝다.

07 별의 밝기는 거리의 제곱에 반비례하므로 별까지의 거리가 3배 멀어지면 밝기는 $\dfrac{1}{9}$배로 감소한다.

08 1 등급보다 더 밝은 별은 0 등급, −1 등급, −2 등급, ⋯⋯으로 나타낸다.

09 절대 등급은 별이 10 pc 거리에 있다고 가정할 때의 등급이므로 이 별은 거리가 10 pc일 때 1 등급으로 보인다. 실제 거리가 1 pc이라면 10 pc보다 $\dfrac{1}{10}$배로 가까워지므로 밝기는 100배 밝아진다. 따라서 이 별의 겉보기 등급은 절대 등급보다 5 등급 작은 −4 등급이다.

10 (겉보기 등급−절대 등급) 값이 클수록 지구에서 멀리 떨어진 별이다. (겉보기 등급−절대 등급)의 값이 A와 B가 −3으로 같고, C가 1이므로 A와 B는 거리가 같고, C가 가장 멀다.

> 💻 **개념 체크**+   겉보기 등급과 절대 등급의 관계
>
> 절대 등급과 겉보기 등급을 이용하면 별까지의 거리를 비교할 수 있다.
> → (겉보기 등급 − 절대 등급) 값이 작을수록 가까이 있는 별이다.

| 01 ④ | 02 ① | 03 ② | 04 ⑤ | 05 ④ |
| 06 ⑤ | 07 ③ | 08 ⑤ | 09 ① | 10 ② |

01 별의 색은 표면 온도에 따라 달라지며, 표면 온도가 높을수록 청색, 낮을수록 적색을 띤다. 태양은 황색 별이므로 표면 온도가 태양보다 낮은 별은 주황색, 적색을 띤다.

02 표면 온도는 백색 별이 주황색 별보다 높다. 별의 색으로 절대 등급을 알 수는 없다.

03 태양계는 우리은하 중심으로부터 약 8.5 kpc 떨어진 나선팔에 위치한다.

04 우리은하를 옆에서 보면 중심부가 부풀어 있는 납작한 원반 모양이다.

05 산개 성단은 주로 파란색, 구상 성단은 주로 붉은색 별로 구성된다.

06 성운은 성간 물질이 밀집되어 구름처럼 보이는 천체이다.

> **📺 자료 분석⁺** 성운의 종류
>
>
> (가) 암흑 성운   (나) 방출 성운   (다) 반사 성운

07 성운은 별들 사이의 공간에 분포하는 기체와 먼지로 구성된다.

08 산개 성단은 주로 파란색의 젊은 별들로 구성되어 있고, 대부분 우리은하의 나선팔에 분포한다.

09 산업 혁명으로 농업과 어업 종사자는 감소하였고, 공업과 서비스업 종사자는 증가하였다.

10 과학 기술의 발달로 우리 삶은 풍요롭고 편리해졌다.

01 (1) (가): 움직인다. (나): 움직이지 않는다. (2) 해설 참조

02 (1) 해설 참조 (2) 해설 참조

03 (1) 0.02″ (2) 해설 참조

04 (1) B, C (2) 해설 참조 (3) D, A, B, C

05 (1) (가) 산개 성단, (나) 구상 성단 (2) 해설 참조

06 해설 참조

07 (1) (가) 방출 성운, (나) 반사 성운
(2) 해설 참조 (3) 해설 참조

01 (1) 자기장이 변하면 전자기 유도 현상에 의해 유도 전류가 흐른다. 따라서 자석을 코일 속에 넣을 때는 자기장의 변화가 생겨 전류가 흐르므로 검류계 바늘이 움직인다. 반면 자석을 코일 속에 넣은 채로 가만히 있으면 자기장의 변화가 없으므로 전류가 흐르지 않아 검류계 바늘이 움직이지 않는다.

(2) **모범 답안** 코일 속에서 자석을 움직일 때에만 자기장의 변화가 생기므로 코일에 전류가 흐른다.

해설 | 자석이 움직이지 않을 때는 검류계 바늘이 움직이지 않지만 자석이 움직이면 검류계 바늘도 움직인다. 이는 자석이 움직이면 코일을 통과하는 자기장이 변하여 코일에 전류가 흐르기 때문이다.

채점 기준	배점(%)
모범 답안과 같이 서술한 경우	100
자기장의 변화에 대한 언급 없이 자석을 움직일 때에만 전류가 흐른다고 서술한 경우	50

02 (1) **모범 답안** 선풍기가 1 초 동안 소비하는 전기 에너지의 양이 30 J임을 의미한다.

(2) **모범 답안** 전력량은 소비 전력과 사용 시간의 곱이므로 선풍기가 5 시간 동안 소비한 전력량은 30 W×5 h=150 Wh이다.

해설 | 소비 전력은 전기 기구가 1 초 동안 소비하는 전기 에너지의 양을 의미한다. 전력량은 소비 전력에 사용 시간을 곱하여 구하며, 전력량의 단위는 Wh(와트시)이다.

채점 기준	배점(%)
(1), (2) 모두 옳게 서술한 경우	100
(1), (2) 중 한 가지만 옳게 서술한 경우	70

03 (1) 연주 시차는 별을 6개월 간격으로 관측한 시차의 절반에 해당하는 값이다. 별 S의 시차가 0.04″이므로 별 S의 연주 시차는 이것의 절반인 0.02″이다.

(2) 모범 답안 별까지의 거리(pc)는 $\dfrac{1}{\text{연주 시차}″}$ 이므로, 별 S까지의 거리는 $\dfrac{1}{0.02″}=50$ pc이다.

해설 | 별의 연주 시차의 단위가 초(″), 별까지의 거리의 단위가 파섹(pc)일 때, 별까지의 거리(pc)는 연주 시차(″)의 역수와 같다.

채점 기준	배점(%)
모범 답안과 같이 서술한 경우	100
풀이 과정을 함께 서술하지 못한 경우	50

04 (2) 모범 답안 별의 색은 표면 온도가 낮을수록 적색을 띠고, 표면 온도가 높아짐에 따라 황색, 백색, 청색을 띤다.

해설 | 별의 표면 온도에 따라 색이 달라진다.

채점 기준	배점(%)
(1)이 정답이고, 별의 표면 온도에 따라 보이는 색이 다름을 서술한 경우	100
(1)을 틀렸으나, 별의 표면 온도에 따라 보이는 색이 다름을 서술한 경우	50

(3) 별의 (겉보기 등급－절대 등급) 값이 클수록 지구로부터 멀리 떨어진 별이다.

05 (1) (가)는 산개 성단, (나)는 구상 성단으로 별이 모여 있는 모양에 따라 구분할 수 있다.

(2) 모범 답안 (가)는 주로 파란색의 젊은 별들로 구성되어 있고, (나)는 주로 붉은색의 늙은 별들로 구성되어 있다.

해설 | 산개 성단은 수십~수만 개의 별들이 일정한 모양 없이 모여 있는 성단으로, 주로 파란색의 젊고 온도가 높은 별들로 구성되어 있으며, 대부분 우리은하의 나선팔에 분포한다. 이와 달리 구상 성단은 수만~수십만

개의 별들이 공 모양으로 빽빽하게 모여 있는 성단으로, 주로 붉은색의 늙고 온도가 낮은 별들로 구성되어 있으며, 대부분 우리은하의 중심부와 은하 원반을 둘러싼 구형의 공간에 분포한다.

채점 기준	배점(%)
모범 답안과 같이 서술한 경우	100
각 성단을 구성하는 별의 색깔과 나이 중 하나만 정확히 서술한 경우	50

06 모범 답안 위에서 보면 막대 모양의 중심부와 나선팔이 있고, 옆에서 보면 가운데가 부풀어 있는 납작한 원반 모양이다.

해설 | 우리은하는 막대 모양의 중심부가 있고, 그 주변에 나선팔이 있다.

채점 기준	배점(%)
모범 답안과 같이 서술한 경우	100
우리은하를 위에서 본 모습과 옆에서 본 모습 중 하나만 정확히 서술한 경우	50

07 (2) 모범 답안 (가)는 근처에 있는 별로부터 에너지를 받아 온도가 높아져서 붉은색 빛을 내고, (나)는 주변의 별빛을 반사하여 주로 파란색으로 보인다.

해설 | 방출 성운은 스스로 빛을 내지만, 반사 성운은 주변의 빛을 반사하여 빛을 내는 것처럼 보인다.

채점 기준	배점(%)
모범 답안과 같이 서술한 경우	100
빛나게 되는 과정과 빛의 색을 (가)와 (나) 중 하나에 대해서만 정확히 서술한 경우	70
(가)와 (나)가 빛나게 되는 과정과 빛의 색 중 하나만 정확히 서술한 경우	40

(3) 모범 답안 (가)와 (나)는 성운으로, 성운은 별과 별 사이의 넓은 공간에 희박하게 분포하는 기체와 먼지들로 구성된 성간 물질이 지역에 따라 밀집되어 마치 구름처럼 보이는 것으로, 우리은하의 나선팔에서 주로 발견된다.

해설 | 성운은 성간 물질이 밀집되어 마치 구름처럼 보이는 천체이며, 우리은하의 나선팔에 주로 분포한다.

채점 기준	배점(%)
모범 답안과 같이 서술한 경우	100
제시된 단어를 모두 사용하지 못한 경우	50

01 해설 참조   **02** 해설 참조

03 (1) 해설 참조 (2) 해설 참조

   (3) 시차의 크기는 거리에 반비례한다. (4) 해설 참조

04 (1) A: 방출 성운, B: 반사 성운, C: 암흑 성운 (2) 해설 참조

   (3) 주변의 별빛을 반사하여 파란색으로 보인다.

   (4) 해설 참조

05 ㉠ 금속, ㉡ 증기 기관, ㉢ 전기

06 해설 참조

01 모범 답안 자석을 코일에 가까이 할 때와 멀리 할 때 코일에 흐르는 전류의 방향이 서로 반대 방향이 된다.

해설 | 자석을 가까이 할 때와 멀리 할 때 서로 다른 발광 다이오드에 각각 불이 켜진다. 이를 통해서 자석을 가까이 할 때와 멀리 할 때 코일에 흐르는 전류의 방향이 서로 반대 방향이라는 것을 알 수 있다.

채점 기준	배점(%)
전류의 방향과 관련하여 옳게 서술한 경우	100
전류의 방향이 바뀐다고만 서술한 경우	50

💻 **개념 체크⁺** 유도 전류의 방향

전자기 유도가 일어날 때 자기장이 변하는 방향에 따라 유도 전류의 방향이 달라진다.

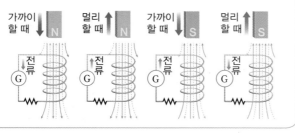

02 모범 답안 표시창에 여러 가지 신호(전기 에너지 → 빛에너지), 차가운 바람이 나왔다.(전기 에너지 → 운동 에너지), 윙윙거리는 소리도 나고(전기 에너지 → 소리 에너지), 따뜻했다.(전기 에너지 → 열에너지)

해설 | 에어컨에서는 전기 에너지가 여러 가지 에너지로 전환된다.

채점 기준	배점(%)
에너지 전환 네 가지를 모두 옳게 서술한 경우	100
에너지 전환 한 가지당	25

03 (1) 모범 답안 θ는 시차이며, 시차는 관측자의 위치에 따라 물체의 겉보기 방향이 달라지기 때문에 나타난다.

해설 | 시차는 관측자의 위치에 따라 물체의 겉보기 방향이 달라지는 정도로, 그 크기를 각도로 나타낸다.

채점 기준	배점(%)
모범 답안과 같이 서술한 경우	100
θ의 명칭과 θ가 나타나는 이유 중 하나만 정확히 서술한 경우	50

(2) 모범 답안 스타이로폼 공이 관측자에게 가까워지면 θ는 커진다. 그 이유는 스타이로폼 공이 가까워질수록 학생 A, B에게 보이는 스타이로폼 공의 위치 차이가 커지기 때문이다.

해설 | 시차의 크기는 거리가 가까울수록 크다.

채점 기준	배점(%)
모범 답안과 같이 서술한 경우	100
스타이로폼 공이 가까워지는 것과 θ의 크기 사이의 관계는 서술했으나 그 이유를 함께 설명하지 못한 경우	50

(4) 모범 답안 스타이로폼 공을 관찰하는 학생 A와 B 사이의 거리를 멀어지게 한다.

해설 | 두 관측 지점 사이의 거리가 멀어지면 시차도 커진다.

04 (1) 방출 성운은 주변 별로부터 에너지를 공급 받아 스스로 붉은색 빛을 낸다. 암흑 성운은 뒤쪽에서 오는 별빛을 차단하여 어둡게 보인다.

(2) [모범 답안] 근처의 별로부터 에너지를 공급 받아 성운 자체의 온도가 높아져서 붉은색의 빛을 낸다.

해설 | 방출 성운은 스스로 빛을 내며, 주로 붉은색을 띤다.

채점 기준	배점 (%)
모범 답안과 같이 서술한 경우	100
근처의 별로부터 에너지를 공급 받는다는 점을 서술하지 못한 경우	50

(3) B는 반사 성운으로, 주변의 별빛을 반사하여 주로 파란색으로 보인다.

(4) [모범 답안] C, 성운은 주로 우리은하의 나선팔에 분포하며, 암흑 성운은 뒤쪽에서 오는 별빛을 차단하여 검게 보인다.

해설 | 성운은 주로 우리은하의 나선팔에서 발견되며, 뒤쪽에서 오는 별빛을 차단하여 검게 보이는 암흑 성운의 영향으로 은하수의 가운데 부분은 검게 보인다.

채점 기준	배점 (%)
모범 답안과 같이 서술한 경우	100
은하수의 가운데 부분이 검게 보이는 것과 관련된 것이 C라는 것은 서술했으나, 그 이유를 서술하지 못한 경우	50

05 과학 기술의 발전으로 인류 문명이 발달한 주요 사건은 금속의 발견, 증기 기관의 발명, 전기의 사용 등이 있다.

06 [모범 답안] 생체 모방 기술, 상어 비늘이 물의 저항을 최소화할 수 있는 구조로 되어 있다는 점으로부터 마찰력이 작은 수영복을 개발하였다.

해설 | 생체 모방 기술은 생물체를 모방하여 유용한 제품을 만드는 것이다.

채점 기준	배점 (%)
생체 모방 기술이라는 용어를 정확히 서술하고, 사례를 적절히 제시한 경우	100
생체 모방 기술에 대해서는 알고 있으나 사례를 제시하지 못한 경우	50

💻 **개념 체크+** 생체 모방 기술

생체 물질의 기본 구조, 구성 성분, 기능 등을 첨단 과학 기술과 결합하여 새로운 제품을 개발하는 기술

상어 비늘을 모방한 수영복	상어 비늘은 물의 저항을 최소화할 수 있는 구조를 띠므로, 이를 모방하여 마찰력을 줄이는 수영복을 개발하였다.
연잎의 표면 구조를 모방한 발수 페인트	연잎 표면을 모방하여 개발된 발수 페인트를 칠하면 빗물이 굴러 떨어지면서 먼지가 저절로 씻긴다.
홍합을 모방한 접착제	홍합이 단백질을 분비하여 파도가 치는 바닷물 속 바위에 달라붙을 수 있다는 점을 이용하여 의료용 접착제를 개발하였다.

기말

7일

01 ④	02 ㉠ 자석, ㉡ 전자기 유도, ㉢ 유도 전류			
03 ③	04 ④	05 ⑤	06 ①	07 ②
08 별 A: 50 pc, 별 B: 100 pc			09 ④	10 ③
11 ④	12 ③	13 해설 참조		14 ⑤
15 ⑤	16 ③	17 ⑤	18 ④	19 ②
20 ③				

01 ㄴ, ㄷ. 더 강한 자석을 사용하거나 자석을 더 빠르게 움직이거나 감은 수가 많은 코일을 사용하면 더 센 유도 전류가 흐른다.

> **오답 풀이**
> ㄱ. 자석의 극을 바꾸면 전류의 세기에는 변화가 없고, 전류의 방향만 바뀐다.

02 자석 사이에 있는 코일이 회전하면 자기장이 변하기 때문에 코일에 전류가 흐른다. 즉 발전기 내에서는 전자기 유도 현상에 의해 유도 전류가 흐르면서 전기가 생산된다.

> 💻 **개념 체크➕** 발전
>
> 킥보드의 바퀴에는 코일과 자석으로 이루어진 발전기가 들어 있다. 바퀴가 회전하면 코일이 회전하면서 자기장을 변화시키고 이 변하는 자기장에 의해 코일에 전류가 흐른다. 이 전류가 발광 다이오드에 흐르게 되면 발광 다이오드에는 불이 들어오게 된다.
>
>
> 코일
> 자석
> 발광 다이오드

03 전력량은 소비 전력과 사용 시간의 곱으로 구한다. 따라서 전기주전자가 30분 동안 소비하는 전력량은 1800 W × 0.5 h = 900 Wh이다.

04 세탁기는 전기 에너지를 운동 에너지로 전환한다. 전기

밥솥, 토스터, 전기주전자, 전기난로는 전기 에너지를 열에너지로 전환한다.

05 ㄱ, ㄴ. 220 V − 30 W는 220 V의 전압에 사용할 때 30 W의 전력을 소비한다는 의미이다. 즉 전구는 220 V 전원에 사용해야 하며 소비 전력은 30 W이다.

   ㄷ. 소비 전력 30 W는 1초 동안 30 J의 전기 에너지를 소비한다는 의미이다.

> 💻 **개념 체크➕** 정격 전압과 정격 소비 전력
>
> 전기를 안전하게 사용하기 위해 전기 기구에는 '정격'이라는 것이 정해져 있다. 정격이란 전기 기구를 안전하게 사용하기 위한 한계를 표시한 것이다. 예를 들면 어떤 전기 기구에 '정격 전압 220 V, 정격 소비 전력 10 W'라고 표시되어 있다면, 이것은 전기 기구를 220 V의 전압까지만 연결해야 하며, 220 V에 연결할 때 전기 기구가 10 W의 전력을 소비함을 뜻한다.

06 시차는 관측자와 물체 사이의 거리에 반비례한다.

07 별의 연주 시차는 지구의 공전으로 인하여 6개월 간격으로 별의 겉보기 위치가 변하기 때문에 관측된다.

08 연주 시차는 시차의 절반에 해당하는 값으로, 별 A의 연주 시차는 0.02″, 별 B의 연주 시차는 0.01″이다. 이것으로부터 별까지의 거리(pc)는 $\dfrac{1}{\text{연주 시차}(″)}$로 구할 수 있다.

09 별의 연주 시차는 거리에 반비례한다. 따라서 연주 시차가 가장 큰 별은 거리가 가장 가까운 별 E이며, 연주 시차가 가장 작은 별은 거리가 가장 먼 별 A이다.

10 별의 밝기는 별까지의 거리의 제곱에 반비례하므로 어떤 별의 밝기가 36배 밝아졌다면 거리는 $\dfrac{1}{6}$배로 가까워진 것이다.

11 1 등급 차이는 약 2.5배의 밝기 차이가 나므로 2 등급 차이는 약 2.5^2배, 3 등급 차이는 약 2.5^3배, …⋯의 밝기 차이가 난다.

12 별 B는 10 pc 거리에 있으므로 겉보기 등급과 절대 등

급이 같다.

13 [모범답안] 별 C의 절대 등급이 별 A보다 작다. 두 별의 겉보기 등급이 같지만 별 A는 거리가 2 pc이고, 별 C는 거리가 50 pc이므로 별 A의 절대 등급은 −2보다 큰 반면, 별 C의 절대 등급은 −2보다 작다.

해설 | 별까지의 거리가 10 pc보다 먼 별은 겉보기 등급이 절대 등급보다 크고, 10 pc보다 가까운 별은 겉보기 등급이 절대 등급보다 작다.

채점 기준	배점(%)
모범 답안과 같이 서술한 경우	100
근거를 함께 서술하지 못한 경우	50

14 태양은 황색 별이다.

15 (가)는 우리은하를 위에서, (나)는 우리은하를 옆에서 본 모습이며, 태양계는 우리은하 중심으로부터 약 8.5 kpc 떨어진 나선팔에 위치한다.

16 (가)는 산개 성단, (나)는 구상 성단이다. 산개 성단은 구상 성단보다 구성 별의 개수가 적으며, 산개 성단은 주로 파란색의 젊은 별, 구상 성단은 주로 붉은색의 늙은 별들로 구성되어 있다.

17 (가)는 방출 성운, (나)는 암흑 성운, (다)는 반사 성운에 대한 설명이다.

18 안드로메다은하는 우리은하 외부의 다른 은하이다.

19 산업 혁명의 원동력으로 작용한 것은 증기 기관의 발명이다.

20 유전자 분석 기술은 DNA를 이용하여 개체를 구분할 수 있게 되어 진화 과정을 연구하는 데 사용되었다.

01 ③	02 ⑤	03 6600 Wh	04 ③
05 ②	06 ③	07 ②	08 ④　09 ②
10 해설 참조	11 ③	12 ②	13 ④
14 ⑤	15 ①	16 ②	17 ⑤
18 (가) 산개 성단, (나) 구상 성단		19 ④	20 ⑤

01 코일에 자석을 가까이 하거나 멀리 하면 전자기 유도 현상에 의해 코일에 유도 전류가 흐른다.

02 발전기는 코일과 자석으로 이루어져 있다. 코일이나 자석이 회전하면 자기장의 변화가 생겨 전류가 흐른다.

📺 **개념 체크＋** 발전기

수력 발전소에서는 물의 위치 에너지, 화력 발전소에는 연료를 연소시켜 발생한 증기의 운동 에너지, 풍력 발전소에서는 바람의 운동 에너지를 이용하여 터빈을 돌린다. 터빈이 돌아가면 회전축에 달린 자석이나 코일이 돌아가면서 코일 속을 통과하는 자기장이 계속 변하게 된다. 그 결과 코일에 전류가 유도되므로 발전기는 자석과 코일의 상대적인 운동으로 전기 에너지를 생산한다.

03 전력량은 소비 전력과 사용 시간의 곱으로 구한다. 따라서 전구를 10 시간씩 한 달 동안 사용했을 때 전구가 소비한 전력량은 $22 \text{ W} \times 10 \text{ h} \times 30 = 6600 \text{ Wh}$ 이다.

04 냉장고에서는 전기 에너지가 주로 운동 에너지로 전환되며, 전기주전자에서는 전기 에너지가 열에너지로 전환된다.

05 ㄷ. 전기 에너지를 열에너지로 전환하는 가전제품인 전기밥솥, 전기주전자의 소비 전력이 다른 가전제품보다 크다.

[오답 풀이]

ㄱ. 소비 전력이 가장 큰 것은 전기주전자이다.

ㄴ. 스탠드의 소비 전력은 20 W이므로 1초 동안 20 J 의 전기 에너지를 소비한다.

06 시차는 물체가 움직이는 것이 아니라 관측자의 위치에

따라 물체의 겉보기 방향이 달라지는 정도를 각도로 나타낸 것이다.

07 별 S의 연주 시차는 시차의 절반인 0.1″이므로 별 S까지의 거리는 $\frac{1}{0.1″}$ = 10 pc이다.

08 대부분의 별은 지구에서 매우 멀리 떨어져 있기 때문에 연주 시차를 측정하기 어렵다. 연주 시차는 비교적 가까운 거리에 있는 별까지의 거리를 구할 때 활용할 수 있다.

09 연주 시차는 거리에 반비례하므로 거리가 가장 먼 별의 연주 시차가 가장 작고, 거리가 가장 가까운 별의 연주 시차가 가장 크다.

10 [모범 답안] 별까지의 거리가 $\frac{1}{10}$배로 가까워졌으므로 겉보기 밝기는 100배 밝아진다.

해설 | 별의 겉보기 밝기는 별까지의 거리의 제곱에 반비례한다.

채점 기준	배점 (%)
모범 답안과 같이 서술한 경우	100
별까지의 거리가 가까워졌음은 알고 있으나, 겉보기 밝기의 변화 정도를 정확히 서술하지 못한 경우	50

11 1 pc = 206265 AU이므로 별 A까지의 거리는 10 AU < 1 pc이고, 별 B까지의 거리는 5 pc, 별 C까지의 거리는 10 pc, 별 D까지의 거리는 1 pc이다. 따라서 지구에서 거리가 먼 별부터 순서대로 C, B, D, A이다.

12 별의 등급이 1등급 차이가 나면 약 2.5배의 밝기 차이가 난다. 따라서 2.5^4배 밝게 보이는 별의 겉보기 등급은 2등급에서 4등급 작은 −2등급이다.

13 별까지의 거리가 10 pc보다 멀면 겉보기 등급이 절대 등급보다 크고, 10 pc보다 가까우면 겉보기 등급이 절대 등급보다 작다.

14 태양은 황색을 띠는 별로, 주황색 별보다 표면 온도가 높다.

15 별의 색으로부터 알 수 있는 것은 표면 온도로, 절대 등급이나 거리는 알지 못한다.

16 우리은하의 지름은 약 30 kpc이다.

17 성운은 기체와 먼지들로 구성된 성간 물질이 밀집되어 마치 구름처럼 보이는 천체이다.

18 산개 성단은 수십~수만 개의 별들이 일정한 모양 없이 모여 있는 성단이고, 구상 성단은 수만~수십만 개의 별들이 공 모양으로 빽빽하게 모여 있는 성단이다.

19 유기 발광 다이오드(OLED)는 매우 얇은 모니터나 구부러지는 스마트폰 화면 등에 사용된다.

20 과학 기술의 발달은 농업 사회에서 산업 사회로의 변화를 불러왔으며, 산업 혁명의 원동력이 되었다.

초등에 나오는 과학 용어 풀이

❶ 암수가 쉽게 구분되는 동물

사자 수컷은 머리에 ☐☐☐ 가 있지만 암컷은 없다.

암컷　　　수컷

▲ 사자

답 갈기

예1 사슴 수컷은 머리에 뿔이 있고 몸이 더 크며, 암컷은 뿔이 없고 수컷에 비해 몸이 작다.

예2 원앙 수컷은 몸 색깔이 화려하고, 암컷은 몸 색깔이 갈색이고 수수하다.

❷ 새끼를 돌볼 때 암수의 역할

곰은 ☐☐☐ 이 새끼를 돌본다.

▲ 곰

답 암컷

예1 제비는 암수가 함께 알과 새끼를 돌본다.

예2 가시고기는 암컷이 낳은 알이나 알에서 부화한 새끼를 수컷이 돌본다.

❸ 부화 (알깔 孵, 될 化)

동물의 알에서 ❶ ☐☐☐ 나 새끼가 ❷ ☐☐☐ 를 뚫고 밖으로 나오는 것이다.

답 ❶ 애벌레 ❷ 알껍데기

예1 병아리는 부리로 껍데기를 깨고 나온다.

예2 배추흰나비알이 부화하면 애벌레가 나오며, 애벌레는 여러 번의 허물을 벗으면서 자란다.

❹ 동물의 한살이

동물이 태어나서 ❶ ☐☐☐ 하여 ❷ ☐☐☐ 을 남기는 과정이다.

▲ 병아리　　　　　▲ 강아지

답 ❶ 성장 ❷ 자손

예1 닭의 한살이는 알 → 병아리 → 큰 병아리 → 다 자란 닭의 과정을 거친다.

예2 개의 한살이는 갓 태어난 강아지 → 큰 강아지 → 다 자란 개의 과정을 거친다.

⑤ 식물의 한살이

식물의 ❶[   ]가 싹 터서 자라며, 꽃이 피고
❷[   ]를 맺어 다시 씨가 만들어지는 과정이다.

▲ 벼

▲ 감나무

답❶ 씨 ❷ 열매

예1 벼, 옥수수, 강낭콩 등은 한 해 동안 한살이를 거치
고 일생을 마친다.

예2 감나무, 사과나무, 무궁화 등은 여러 해 동안 죽지
않고 살아가면서 한살이의 일부를 반복한다.

⑥ 세포(가늘 細, 태보 胞)

생물을 이루는 기본 ❶[   ]로, 모든 생물은
❷[   ]로 이루어져 있다.

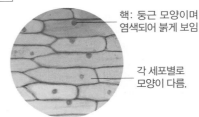

핵: 둥근 모양이며
염색되어 붉게 보임

각 세포별로
모양이 다름.

▲ 양파의 표피 세포

답❶ 단위 ❷ 세포

예1 세포는 크기가 매우 작고, 크기와 모양이 다양하다.

예2 핵은 유전 정보를 포함하고 있으며, 생명 활동을 조
절한다.

⑦ 식물 세포와 동물 세포

식물 세포와 동물 세포 모두 [   ]과 세포막이 있으며,
식물 세포에는 동물 세포에 없는 세포벽이 있다.

핵

세포벽

세포막

▲ 식물 세포   ▲ 동물 세포

답 핵

예1 세포막은 세포 내부와 외부를 드나드는 물질 출입
을 조절한다.

예2 세포벽은 세포의 모양을 일정하게 유지하고 세포를
보호한다.

⑧ 뿌리

민들레의 뿌리는 곧은 뿌리에 가는 뿌리가 나 있고, 파의
뿌리는 굵기가 비슷한 뿌리가 여러 가닥으로 나 있으며,
공통점으로 솜털처럼 가는 [   ]이 있다.

▲ 민들레

▲ 파

답 뿌리털

예1 뿌리는 땅속으로 뻗어 식물을 지지하고 물을 흡수
한다.

예2 뿌리는 잎에서 만든 양분을 저장하기도 한다.
예 무, 고구마, 당근 등

⑨ 줄기

식물의 줄기는 꺼칠꺼칠하거나 매끈한 껍질로 싸여 있으며, ☐ 과 양분이 이동하는 통로 역할을 한다.

▲ 줄기

답 물

예1 줄기는 식물을 지지하고, 잎에서 만든 양분을 저장하기도 한다. 예 감자, 토란, 마늘 등
예2 줄기는 뿌리에서 흡수한 물과 잎에서 만든 양분을 식물 전체로 보낸다.

⑩ 꽃

대부분 ☐ , 수술, 꽃잎, 꽃받침으로 이루어지며, 꽃가루받이(수분)를 거쳐 씨를 만든다.

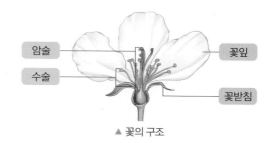
▲ 꽃의 구조

답 암술

예1 수세미오이꽃은 암꽃과 수꽃이 따로 피며, 암꽃에는 수술이 없고 수꽃에는 암술이 없다.
예2 은행나무는 암술과 수술이 다른 그루에 핀다.

⑪ 수분(받을 受, 가루 粉)

수분은 ❶ ☐ 에서 만든 꽃가루를 암술로 옮기는 것이며, ❷ ☐ , 새, 물, 바람 등의 도움으로 이루어진다.

▲ 코스모스

답 ❶ 수술 ❷ 곤충

예1 코스모스, 사과나무, 연꽃 등은 곤충의 도움으로 수분이 이루어진다.
예2 검정말, 나사말 등은 물에 의해 수분이 이루어진다.

⑫ 식물이 씨를 퍼뜨리는 방법

식물이 씨를 퍼뜨릴 때는 ☐ , 물, 새, 사람 등의 도움이 필요하다.

▲ 민들레

▲ 도깨비바늘

답 바람

예1 민들레나 버드나무의 씨는 가벼운 솜털이 있어 바람에 날려 퍼진다.
예2 도깨비바늘이나 도꼬마리 열매 등은 갈고리가 있어 동물의 털이나 사람의 옷에 붙어서 퍼진다.

⑬ 에너지

일을 할 수 있는 능력, 높은 곳에 있는 물체는 ❶ ☐ 에너지를, 운동하는 물체는 ❷ ☐ 에너지를 가진다.

▲ 에너지를 가지고 있는 예

답 ❶ 위치 ❷ 운동

예1 바람은 전기를 만드는 일을 할 수 있으므로 에너지를 갖고 있다.

예2 우리는 음식을 섭취하여 생활하므로 음식도 에너지를 갖고 있다.

⑭ 전기 에너지

전자가 이동하면서 하는 일, 즉 ❶ ☐ 가 흐르면서 주위에 ❷ ☐ 을 하는데 이때의 에너지

▲ 전기 사용으로 밝은 도시

답 ❶ 전류 ❷ 일

예1 텔레비전은 전기 에너지를 사용하여 빛과 소리 등을 낸다.

예2 가로등은 전기 에너지를 사용하여 어두운 거리를 환하게 밝힌다.

⑮ 발광 다이오드

전구처럼 ❶ ☐ 를 사용하지 않고 한 방향으로 전압을 가했을 때만 빛을 내는 반도체의 일종, ❷ ☐ 라고도 한다.

답 ❶ 필라멘트 ❷ LED

예1 발광 다이오드는 전기 에너지를 빛에너지로 전환한다.

예2 발광 다이오드를 회로에 연결할 때 다리가 긴 쪽은 전지의 (+)극 쪽에, 다리가 짧은 쪽은 전지의 (−)극 쪽에 연결한다.

⑯ 전기 자동차

석유 등의 ❶ ☐ 와 엔진을 사용하지 않고, 전기 ❷ ☐ 와 전기 모터를 사용하여 운행하는 자동차

답 ❶ 연료 ❷ 배터리

예1 전기 자동차는 배터리의 질량이 크기 때문에 같은 크기의 가스 자동차보다 무게가 많이 나간다.

예2 전기 자동차는 화석 연료를 전혀 사용하지 않기 때문에 가장 친환경적이다.

⑰ 달의 모습

달은 둥근 ☐ 모양으로, 산처럼 높이 솟은 곳도 있고, 바다처럼 깊고 넓은 곳도 있다.

답 공

(예1) 달의 바다는 달의 표면에서 어둡게 보이는 곳으로, 실제로 물이 있지는 않다.

(예2) 충돌 구덩이는 우주 공간을 떠돌던 돌덩이가 달 표면에 충돌하여 만들어진 것이다.

⑱ 태양계(클 太, 별 陽, 이을 系)

❶ ☐ 과 태양의 영향을 받는 모든 ❷ ☐ 들, 그리고 그 공간 전체

답 ❶ 태양 ❷ 천체

(예1) 태양계 행성 중 지구보다 큰 행성은 목성, 토성, 천왕성, 해왕성이다.

(예2) 태양은 태양계에서 유일하게 스스로 빛을 내는 천체이다.

⑲ 위성(지킬 衛, 별 星)

지구의 주위를 도는 ☐ 처럼 행성의 주위를 도는 천체

▲ 목성과 목성의 4대 위성

답 달

(예1) 지구의 주위를 도는 달처럼 행성의 주위를 도는 천체를 위성이라고 한다.

(예2) 목성의 위성 중 가장 먼저 발견된 이오, 유로파, 가니메데, 칼리스토를 목성의 4대 위성이라고 한다.

⑳ 별자리

옛날 사람들이 밤하늘에 무리 지어 있는 ☐ 을 연결하여 사람, 동물, 물건 등의 모습을 떠올리고 이름을 붙인 것

▲ 사자자리

답 별

(예1) 지구가 공전하면서 지구의 위치가 달라지기 때문에 계절에 따라 보이는 별자리가 다르다.

(예2) 봄에는 가을철 별자리를 볼 수 없고, 여름에는 겨울철 별자리를 볼 수 없다.

㉑ 낮과 밤

낮은 태양이 ❶ [　　　　]에서 떠오를 때부터 서쪽으로 완전히 질 때까지의 시간이고, 밤은 태양이 ❷ [　　　　]으로 진 때부터 다시 동쪽에서 떠오르기 전까지의 시간이다.

태양 빛　　낮　밤

답 ❶ 동쪽 ❷ 서쪽

예1 지구에서 태양 빛을 받는 쪽은 낮, 태양 빛을 받지 못하는 쪽은 밤이다.

예2 지구가 하루에 한 바퀴씩 자전하면서 태양 빛을 받는 쪽이 달라지기 때문에 낮과 밤이 생긴다.

㉒ 달의 관측(볼 觀, 헤아릴 測)

지구가 ❶ [　　　　]에서 ❷ [　　　　]으로 자전하기 때문에 보름달은 동쪽 하늘에서 보이기 시작하여 남쪽 하늘을 지나 서쪽 하늘로 움직이는 것처럼 보인다.

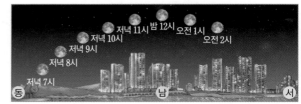

저녁 11시 밤 12시 오전 1시
저녁 10시　　　　　오전 2시
저녁 9시
저녁 8시
저녁 7시
동　　　　남　　　　서

답 ❶ 서쪽 ❷ 동쪽

예1 하루 동안의 달의 위치 변화를 관측하려면 동, 서, 남쪽을 확인하고 시간이 지남에 따라 달의 위치가 어떻게 변하는지 확인한다.

예2 달은 지구 주위를 공전하기 때문에 매일 모양이 변하고 관측되는 시간도 달라진다.

㉓ 계절(끝 季, 마디 節)의 변화(변할 變, 될 化)

계절이 변하는 까닭은 지구의 ❶ [　　　　]이 공전 궤도면에 대해 기울어진 채 태양 주위를 ❷ [　　　　]하기 때문이다.

▲ 계절의 변화 실험

답 ❶ 자전축 ❷ 공전

예1 계절이 겨울에서 여름으로 변하면 낮의 길이가 길어진다.

예2 계절이 변함에 따라 태양의 남중 고도가 달라지기 때문에 기온이 달라진다.

㉔ 지구의(땅 地, 공 球, 움직일 儀)

[　　　　]를 본떠 만든 모형

답 지구

예1 지구의의 자전축을 수직으로 맞추고 시계 반대 방향으로 공전시켜 각 위치에서 태양의 남중 고도를 측정한다.

예2 지구의의 자전축을 23.5° 기울이고, 태양의 남중 고도를 측정한다.

배움으로 행복한 내일을 꿈꾸는
천재교육 커뮤니티 안내

교재 안내부터 구매까지 한 번에!
천재교육 홈페이지

천재교육 홈페이지에서는 자사가 발행하는 참고서,
교과서에 대한 소개는 물론 도서 구매도 할 수 있습니다.
회원에게 지급되는 별을 모아 다양한 상품 응모에도
도전해 보세요.

구독, 좋아요는 필수! 핵유용 정보 가득한
천재교육 유튜브 <천재TV>

신간에 대한 자세한 정보가 궁금하세요?
참고서를 어떻게 활용해야 할지 고민인가요?
공부 외 다양한 고민을 해결해 줄 채널이 필요한가요?
학생들에게 꼭 필요한 콘텐츠로 가득한 천재TV로 놀러 오세요!

다양한 교육 꿀팁에 깜짝 이벤트는 덤!
천재교육 인스타그램

천재교육의 새롭고 중요한 소식을 가장 먼저 접하고 싶다면?
천재교육 인스타그램 팔로우가 필수!
누구보다 빠르고 재미있게 천재교육의 소식을 전달합니다.
깜짝 이벤트도 수시로 진행되니 놓치지 마세요!

book.chunjae.co.kr

교재 내용 문의	....	교재 홈페이지 ▶ 중등 ▶ 교재상담
교재 내용 외 문의	....	교재 홈페이지 ▶ 고객센터 ▶ 1:1문의
발간 후 발견되는 오류	....	교재 홈페이지 ▶ 중등 ▶ 학습지원 ▶ 학습자료실